Les Classiques de l'Art

Tout l'œuvre peint de

Ingres

Les Classiques de l'Art

Rédacteur en chef
GIANFRANCO MALAFARINA

Conseiller général
GIAN ALBERTO DELL'ACQUA

Comité consultatif
Conseiller américain:
LORENZ EITNER

Conseillers anglais:
DOUGLAS COOPER
DAVID TALBOT RICE

Conseiller espagnol:
XAVIER DE SALAS

Conseillers français:
ANDRÉ CHASTEL
JACQUES THUILLIER

Conseillers italiens:
BRUNO MOLAJOLI
CARLO L. RAGGHIANTI

Rédaction
TIZIANA FRATI
SALVATORE SALMI

Secrétariat
MARISA CINGOLANI
CARLA VIAZZOLI

Imprimerie
MARIO ARIOTTO
CARLO PRADA

Chromiste
FELICE PANZA

Coéditions étrangères
FRANCA SIRONI

Comité éditorial
HENRI FLAMMARION
ANDREA RIZZOLI
J. Y. A. NOGUER

Tout l'œuvre peint de

Ingres

Introduction par
DANIEL TERNOIS

Documentation par
ETTORE CAMESASCA

Nouvelle édition mise à jour par Robert Fohr

Flammarion

ISBN 2-08-010240-0

Monsieur Ingres,
"peintre d'histoire"

Le centenaire de la mort d'Ingres, le 14 janvier 1867, à l'âge de quatre-vingt-sept ans, a donné aux "Ingristes" du monde entier l'occasion de faire le point des connaissances, de s'interroger sur "l'actualité" d'Ingres, si admiré et si contesté aujourd'hui comme de son vivant. Lui-même se considérait comme un "peintre d'histoire" et méprisait l'art du portrait où pourtant il réussissait si bien. Notre temps a renversé l'ordre des valeurs : Ingres est pour nous, avant tout, un peintre et un dessinateur de portraits et de nus. Qui n'évoque, à ce nom, *Granet* et *Mlle Rivière*, la *Baigneuse de Valpinçon* et *la Grande Odalisque*, *Mme de Senonnes* et *M. Bertin*, *le Bain turc* et *la Comtesse d'Haussonville*, les portraits à la mine de plomb des *Sœurs Montagu* ou de *Franz Liszt*?

Mais ne faisons-nous pas preuve de partialité, ne sacrifions-nous pas à une mode, en écartant si facilement ces "grandes machines" auxquelles le peintre a consacré la plus grande part de son activité? L'œuvre d'un artiste est un tout. Déjà, lors de l'exposition parisienne de 1967, *Romulus vainqueur d'Acron*, le *Songe d'Ossian*, *Virgile lisant l'Enéide devant Auguste*, et même les petits panneaux du "genre historique", *Paolo et Francesca*, *Don Pedro de Tolède baisant l'épée d'Henri IV*, attirèrent l'attention du public éclairé. Le moment est venu, — et le présent ouvrage nous en donne la possibilité, — de considérer l'œuvre d'Ingres dans son ensemble, dans son développement chronologique, de façon objective et sans rien négliger.

Songeons que nous pénétrons dans un monde inconnu. Avec la régression des "humanités", avec la révolte impressionniste, le vieux fonds intellectuel sur lequel vivait l'Occident depuis tant de siècles est devenu une culture à demi-morte. Les légendes mythologiques, les faits de l'histoire grecque ou romaine, les *Vies des hommes illustres* de Plutarque, les poèmes épiques et romanesques de l'Arioste et du Tasse, l'Ancien Testament lui-même, sont moins bien connus.

Ingres n'était pas un homme d'une grande culture; mais ces "sujets" que nous ne comprenons plus sans de longues explications lui étaient familiers comme ils l'étaient à ses contemporains, à ses camarades d'atelier. Qu'Ingres soit un des "pères de l'art moderne", cela est hors de doute; mais on n'aborde pas Ingres comme Braque ou Mondrian.

Les dix "cahiers" manuscrits d'Ingres (Montauban et collection particulière), rédigés pour l'essentiel dans sa jeunesse, sont couverts de notes de lecture, de textes soigneusement transcrits, avec çà et là, en marge, l'indication : *sujet*. Homère, les Tragiques grecs, Pline, Philostrate, les vies de Raphaël et d'Henri IV, ont nourri toute sa vie artistique. Certains thèmes, *Vénus anadyomène*, *Antiochus et Stratonice*, esquissés dès 1807 et progressivement transformés et enrichis, n'ont trouvé leur forme définitive que dans sa vieillesse. D'autres œuvres, comme *Virgile lisant l'Enéide*, le *Songe d'Ossian*, sont restées inachevées. L'étude de ces tableaux, de l'enchaînement exact des phases successives de leur exécution, est très difficile.

La lenteur d'Ingres est connue. Il ne commençait à peindre un tableau qu'après l'avoir longuement étudié par le dessin, dans son ensemble et dans tous ses détails, corrigeant, modifiant, détruisant l'œuvre de la veille : vrai travail de Pénélope! Mais si la préparation était longue et laborieuse, l'exécution matérielle de la peinture était rapide. Ses élèves, Raymond Balze, Amaury-Duval, en témoignent : *Monsieur Bertin* fut peint en moins d'un mois et *La Source* en quinze jours. "Lorsqu'on sait bien son métier et que l'on a bien appris à imiter la nature, disait Ingres, le plus long est de penser en tout son tableau, de l'avoir pour ainsi dire dans sa tête, afin de l'exécuter ensuite avec chaleur et comme d'une seule veine". Et encore : "Dessinez longtemps avant de songer à peindre".

Les premiers croquis, au crayon ou plus souvent à la plume, jetés rapidement sur le papier, bien que fort schématiques et dépourvus de grandes qualités d'écriture, montrent de façon saisissante le bouillonnement d'idées des premiers moments où un thème s'emparait de son esprit. Le groupe central et la disposition générale de l'*Apothéose d'Homère* se sont imposés à lui, nous dit-il, dans l'heure qui suivit la commande. Pour le *Martyre de saint Symphorien*, il y a eu plusieurs idées successives. Pour l'*Age d'or*, c'est d'une multitude de figures et de groupes semés dans le désordre sur les feuillets que la composition s'est peu à peu dégagée. On mesure le chemin qui restait à parcourir en comparant les notes sommaires prises en vue de *Jésus parmi les docteurs* aux dessins mis au net, sortes d'épures d'architecte, qui précèdent immédiatement l'exécution du tableau.

Venait ensuite la phase de la documentation. Elément important pour un élève de David. Mais Ingres est allé beaucoup plus loin que son maître dans le souci de l'exactitude archéologique et de la "couleur historique". Momméja remarquait en 1904: "Les érudits eux-mêmes étaient devancés de trente bonnes années au moins, parce que leurs connaissances tout empiriques n'avaient été contrôlées que bien rarement par l'observation directe des monuments authentiques à dates certaines, statues, tableaux, miniatures et estampes qui, par le fait seul qu'ils relevaient de l'art véritable, devaient échapper pendant près d'un demi-siècle aux archéologues. Il n'y a aucune exagération à dire qu'Ingres, dont les dessins conservés au musée de Montauban prouvent l'étude, jusqu'à la minutie, de ces monuments, en savait plus, avant 1820, sur l'histoire du costume, que Jules Quicherat lui-même, quand il publia, après 1842, dans *Le Magasin pittoresque*, son premier essai sur "L'Histoire du costume en France".

Des *Antiquités* de Caylus et de l'*Iconographie* de Visconti aux *Monuments de la Monarchie française* de Montfaucon, les recueils gravés dans lesquels il a copié ou calqué des figures ou des accessoires couvrent toute l'histoire du monde occidental. Son respect pour les "antiques", pour Raphaël, est tel qu'il lui arrive de transporter des figures entières dans ses compositions, en changeant seulement un geste pour l'adapter à l'action. Il n'ignore pas non plus l'œuvre des peintres et des sculpteurs néoclassiques contemporains, David, Girodet, Canova, Thorvaldsen. Mais il est attiré aussi, l'un des premiers en son temps, par des formes pré ou postclassiques: par les dessins des vases grecs, dits "étrusques" (dont s'inspirent également les compositions au trait de Flaxman), par les peintres italiens du Quattrocento, par les "Primitifs"

flamands ou les enlumineurs français du Moyen Age, aussi bien que par l'Ecole de Fontainebleau et le maniérisme toscan du XVIe siècle. Curiosités fort diverses, on le voit, chez cet homme qu'on dit étroit et sectaire.

Mais une telle démarche ne va pas sans risques. Dans l'*Apothéose d'Homère*, dans *Stratonice*, les emprunts à des arts d'époques différentes créent des disparates, des anachronismes plus évidents d'ailleurs aujourd'hui qu'à une époque où la connaissance des arts du passé était encore fort vague: l'exactitude du détail nuit à la vérité de l'ensemble.

Certaines compositions, l'*Apothéose d'Homère*, le *Vœu de Louis XIII*, les *Fiançailles de Raphaël*, le *Bain turc* lui-même, sont de véritables centons de figures pillées çà et là: c'est un jeu, amusant d'abord, mais vite lassant, que de découvrir la "source" de chaque personnage, de chaque meuble, de chaque élément du décor. L'art d'Ingres ne serait-il donc que copie et plagiat? Si évidente que soit l'indigence de son imagination, conclure ainsi serait faire bon marché du "style" si personnel et si fort qu'il imprime à ses larcins et grâce auquel, en dépit de tout, il réalise l'unité de ses ouvrages. Et c'est là que commence le travail proprement artistique.

Ingres s'est expliqué à ce sujet, reprenant à son compte la doctrine classique de l'imitation: "C'est en se rendant familières les inventions des autres qu'on apprend à inventer soi-même"; "celui qui ne voudra mettre à contribution aucun autre esprit que le sien même se trouvera bientôt réduit à la plus misérable de toutes les imitations, c'est-à-dire à celle de ses propres ouvrages". Et il va plus loin: s'il faut étudier les artistes de l'Antiquité, c'est pour que ceux-ci nous apprennent à voir et à traduire la nature, "non pour les imiter, mais, encore une fois, pour apprendre à voir": sage principe! qu'il n'a pas toujours appliqué autant qu'il le croit, car son attitude devant la nature est, en définitive, bien différente de celle des Anciens. Les contradictions abondent, on le verra, entre les préceptes d'Ingres et son art.

M. Ingres, écrit le féroce Silvestre, ne voit dans l'art "qu'un bizarre mélange de la statuaire antique et du modèle qui pose à la journée..." La réalité est assez différente: après avoir trouvé le document convenable, Ingres fait poser un modèle professionnel (ou un élève) dans l'attitude de la figure qu'il a copiée. Il le dessine d'abord nu, puis il le vêt ou le drape en reproduisant à l'aide d'étoffes réelles le drapé antique. C'est qu'il s'efforce de recréer la vie et la vérité des œuvres du passé dont les estampes ne lui transmettent qu'une image morte ou défigurée.

On connaît plusieurs centaines d'études pour les figures des grandes compositions à nombreux personnages. Les têtes, les mains, les pieds, sont étudiés séparément. Ingres, peu imaginatif, éprouvait de grandes difficultés à dessiner sans modèle et à traduire le mouvement. Conformément aux habitudes de l'école, il faisait poser un modèle immobile "dans l'attitude" de la course ou du vol. Il dessinait beaucoup et vite et voulait que ses élèves apprennent à saisir le mouvement au vol. Amaury-Duval le montre dessinant un jeune homme qui lance une flèche : "Alors, en un instant et en quelques coups de crayon, pendant que l'enfant posait sur une jambe, il fit un croquis de l'ensemble ; mais comme la jambe en l'air changeait naturellement de place à chaque mouvement que faisait le modèle, M. Ingres en dessinait une autre, de façon que dans le temps assez court que cet enfant put tenir la pose il eut la merveilleuse habileté d'en achever l'ensemble – et deux jambes de plus ..."

Innombrables sont les dessins comportant, comme le tireur d'arc, des membres supplémentaires. Ils sont souvent beaux, pleins de vie et d'énergie, un peu étranges et inquiétants avec leurs bras tendus dans toutes les directions comme le Çiva dansant. Ils semblent annoncer, de façon bien inattendue, les expériences contemporaines de représentation simultanée des apparences successives...

Mais, le choix du geste étant enfin décidé, ces mêmes figures transportées sur la toile paraissent figées par un dessin trop précis. Ingres n'est vraiment lui-même que dans les gestes lents et dans les attitudes de long repos que peuvent tenir les modèles : Stratonice, Mme d'Haussonville, Mme Moitessier.

Ingres recommandait à ses élèves la vérité, la "naïveté" du dessin d'après le modèle vivant, attirait leur attention sur la diversité de la nature. L'important, selon lui, est de traduire avec force le caractère individuel. Mais dessiner est une chose et peindre en est une autre. La "peinture d'histoire" exige un grand style simple et débarrassé des "accidents". C'est pourquoi il conseille de ne pas peindre sur la toile directement d'après le modèle qui pose, mais d'après des dessins poussés et déjà élaborés, exécutés d'après ce modèle. Lui-même reste très littéral dans ses dessins d'après nature : il observe bien, mais copie sans interpréter. Il ne possède pas cette liberté devant le réel qu'il recommande par ailleurs. L'élaboration, la simplification, la stylisation, n'interviennent qu'à un se-

cond stade ; ce sont pour lui deux opérations distinctes et successives. Cette démarche très particulière est la conséquence de son tempérament, de sa forme d'esprit, avant d'être l'application d'une doctrine.

En feuilletant ses dessins, on assiste à la métamorphose des formes. On le voit simplifier le modelé : "Les belles formes, dit-il, sont celles qui ont de la fermeté et de la plénitude, et où les détails ne compromettent pas l'aspect des grandes masses". La *Baigneuse de Valpinçon* est l'exemple de ce modelé lisse et simple, avec des passages délicats dans la demi-teinte. En même temps Ingres étire les proportions, recherche des courbes ondulantes, des lignes continues et des contours précis. Un procédé de travail qui lui est familier, l'usage du calque, contribue à "épurer" le dessin. A la limite on arrive au dessin au trait, cher à cette époque.

"Dessiner, disait pourtant Ingres, ne veut pas dire simplement reproduire des contours, le dessin ne consiste pas simplement dans le trait : le dessin c'est encore l'expression, la forme intérieure, le plan, le modelé. Voyez ce qui reste après cela !". Ici éclate à nouveau la contradiction entre le principe et la pratique : la "forme intérieure" est ce qui manque le plus à son dessin. Celui-ci, ainsi dépouillé, tend vers la géométrie et se vide peu à peu, non seulement des "détails", mais aussi d'une partie de son contenu plastique et de sa structure. A la différence des maîtres de la Renaissance italienne dont il se réclame (Raphaël entre autres) Ingres simplifie par l'extérieur, et non en dégageant la "forme générale", c'est-à-dire les éléments permanents de la construction du corps humain. On connaît par ailleurs son attitude désinvolte à l'égard de la science anatomique.

Ce point est délicat et a suscité depuis un siècle et demi des discussions passionnées et bien des malentendus. Disons d'abord que c'est là un fait que chacun peut constater. Mais qui voit encore aujourd'hui les mentons flottants de Mme de Senonnes et de la Belle Zélie, le gant vide qui sert de main à Mme Moitessier et "cette cuisse gauche qui s'égare imprudemment vers les côtes" que Paul Mantz reprochait à la *Grande Odalisque*? Négligences gênantes quand on les a remarquées une fois, et nullement nécessaires.

Car il faut distinguer. Kératry manquait le but en se moquant des "trois vertèbres de trop" de la même *Odalisque*, car il ne s'agit plus là de "fautes", mais d'une élongation voulue des proportions, d'un élément déterminant du style et de l'expression. Les critiques du XIXᵉ siècle, dont les facultés d'observation étaient souvent supérieures aux nôtres, n'ont pas su faire l'effort de comprendre ce qui dérangeait leurs habitudes. Insensibles au langage des lignes, ils n'ont vu que du ridicule dans les formes où nous aimons à suivre l'ondulation d'un corps, la souple arabesque d'un contour. *Roger et Angélique, la Grande Odalisque, Paolo et Francesca* et même certains portraits furent accusés de "bizarrerie", de "manière" et d'affectation. Pour le critique académique Landon, Ingres était tantôt "gothique" et disciple de "Jean de Bruges" (Jean van Eyck), tantôt "décadent" et "dégénéré", – nous dirions aujourd'hui "maniériste". C'est à un sens aigu de la ligne expressive, à l'accord des lignes entre elles, à la sûreté de la mise en page, qu'Ingres doit la force et la séduction de ses images féminines : les ovales du visage, des épaules et du fauteuil de Mme Devauçay ; les châles de Mme Rivière et de Mme de Senonnes ; l'attitude nonchalante de la comtesse d'Haussonville ; les courbes serpentines de la *Source* et de *Vénus anadyomène* ; et même l'élégance de dandy du duc d'Orléans.

Un autre trait dominant de l'art d'Ingres, c'est l'affirmation du caractère individuel : "Pour exprimer le caractère, une certaine exagération est permise, nécessaire même quelquefois, mais surtout là où il s'agit de dégager et de faire saillir un élément du beau". Cette exagération peut aller jusqu'à la déformation : témoins les fameux "goitres" de Thétis (dans *Jupiter et Thétis*), d'Angélique ou de Paolo, que le docteur Laignel-Lavastine tentait d'expliquer par un hyper-développement de la glande thyroïde et que justifient au nom du style et des droits de l'artiste un peintre contemporain comme Henry de Waroquier. C'est là ce que Jean Alazard appelait avec tant de bonheur "l'expressionnisme archaïsant" d'Ingres, très marqué surtout dans sa jeunesse. Sans aller jusqu'à ces exemples extrêmes, on peut noter qu'Ingres n'hésite pas à représenter la laideur physique, dans les portraits de M. Bertin et de la baronne de Tournon, par fidélité au réel et pour traduire le caractère individuel de son modèle en l'accentuant plutôt qu'en l'atténuant.

En posant en principe la valeur de la vérité dans le dessin, de la sincérité devant la nature, du caractère individuel fortement affirmé, en proscrivant avec horreur le "chic", la facilité, la beauté de convention, Ingres s'opposait à la doctrine académique du "beau idéal" et, de façon plus nuancée, à celle de son maître David. L'hostilité officielle vient de là. Ingres, ne l'oublions pas, ne rencontra longtemps de sympathie que dans les milieux romantiques ou "modernes", alors que ses envois aux salons étaient accueillis par des sarcasmes. Et plus tard, quand le succès et les honneurs vinrent enfin, la défiance subsista de part et d'autre et se traduisit par des démêlés assez vifs avec l'Institut et avec l'Ecole des Beaux-Arts.

A ne considérer que les préceptes du maître, l'art d'Ingres est réaliste : "L'art n'est jamais à un aussi haut degré de perfection que lorsqu'il ressemble si fort à la nature qu'on peut le prendre pour la nature elle-même" ; ce qu'il résume en une formule lapidaire et volontairement paradoxale : "Le style c'est la nature".

Ingres est avant tout un visuel. Son œil est d'une acuité et d'une justesse surprenantes et ses portraits à la mine de plomb le prouvent. Ne pouvant se passer du réel, manquant d'imagination et d'esprit de synthèse, il rencontra de grandes difficultés à concevoir et à réaliser des compositions possédant ce "grand style" indispensable à la "peinture d'histoire". Et cependant il y est quelquefois parvenu : là est le miracle. On ne saurait rester indifférent à des œuvres aussi hautes et aussi réfléchies que *Romulus, vainqueur d'Acron, porte les dépouilles opimes au temple de Jupiter* ou *Virgile lisant l'Enéide devant Auguste*. Ce sont là des créations fortes et difficiles qui demandent de la part du spectateur un effort intellectuel. On en mesurera mieux la valeur et l'importance en les comparant à tant de productions du XIXᵉ siècle, non moins laborieuses, et où s'étale avec une navrante vulgarité le désaccord entre le réalisme terre-à-terre des formes et la grandeur des sujets traités.

Ces réussites, exceptionnelles dans les tableaux d'histoire, infiniment plus nombreuses dans les portraits et dans les nus, il les doit à sa volonté et à un travail acharné, mais aussi à son instinct du style. Il a été soutenu dans cette recherche par les beaux exemples de la Renaissance et de l'Antiquité, sans oublier, comme nous l'avons dit, la peinture toscane du Trecento et du Quattrocento et les vases grecs archaïques. Son maître David vantait volontiers la belle simplicité de Giotto, de Fra Angelico et du Pérugin. On retrouve ce penchant, plus marqué, chez certains de ses élèves, et surtout chez Ingres qui a légué au musée de Montauban sa modeste, mais fine collection de "primitifs" florentins et siennois. Au cours de ses deux séjours à Rome, de 1806 à 1820 et de 1835 à 1841, ainsi que pendant son séjour à Florence, de 1820 à 1824, il fit plusieurs voyages en Toscane, en Ombrie, dans les Marches et dans la Romagne, d'où il rapporta des croquis d'après des peintures de Giotto, de Filippo Lippi, de Signorelli, de Pinturicchio, ainsi que d'après des monuments du Moyen Age, à Ravenne ou à Pise. De là viennent ses contours nets, ses teintes claires, plates et à peine modelées, l'absence de tout clair-obscur (sauf dans le *Vœu de Louis XIII* et dans *Virgile*). Professeur et directeur autoritaire, doué d'un ascendant certain sur ses élèves et sur ses pensionnaires, il leur transmit sa "manière" si particulière, grâce à laquelle le public et les critiques des Salons reconnaissaient à coup sûr les toiles de l'école d'Ingres. Amaury-Duval, dans *L'atelier d'Ingres*, rapporte à ce sujet quelques anecdotes savoureuses, et Baudelaire poursuit de ses moqueries les portraitistes et les paysagistes coupables d' "ingriser" la nature elle-même.

Le goût et la connaissance que nous avons aujourd'hui des peintres italiens du Quattrocento et de l'art grec archaïque (alors estimés seulement dans des cercles restreints) aussi bien que des formes d'art plus classiques nous permettent de mieux comprendre et d'apprécier le "préraphaélisme" d'Ingres, par lequel il prend place, avec ses élèves, dans un mouvement général en Europe, entre les "Nazaréens" allemands et les "Préraphaélites" anglais, — sans que d'ailleurs on puisse discerner des rapports directs entre les trois groupes.

L'art d'Ingres, comme le personnage lui-même, n'a pas fini de surprendre et de dérouter. L'un et l'autre, par leurs contradictions, leurs outrances, leur complexité, ont suscité de tout temps des réactions violemment opposées. Ingres n'a jamais cessé d'être un maître, un "patron", pour beaucoup d'artistes, de fasciner une partie du public par l'autorité du style et de repousser l'autre par l'absence d' "âme" dans ses tableaux. Il fut le terrain solide sur lequel un Renoir, un Degas, prirent appui pour réagir contre la désintégration impressionniste de la forme. Les cubistes se réclamèrent de lui. Les bizarreries que lui reprochaient les critiques de 1806 ou de 1819 lui ont valu l'intérêt des surréalistes. Aujourd'hui enfin les représentants du "Nouveau Roman" découvrent en lui un souci semblable au leur d'observation minutieuse, d'objecvité précise et scrupuleuse, d'où peut naître une certaine forme d'art fantastique. Ces interprétations si diverses et parfois surprenantes sont le signe que l'œuvre d'Ingres est toujours vivante et riche de significations nouvelles pour notre temps.

Daniel Ternois

La fortune critique
d'Ingres

C'est sur des modes très divers que la critique a accueilli les œuvres d'Ingres, depuis leur première apparition au concours de l'Ecole des Beaux-Arts jusqu'à la grande rétrospective posthume de 1867, dans cette même Ecole à laquelle sa vie fut si étroitement liée; mais il convient de replacer dans leur contexte historique des jugements si souvent dissemblables pour en saisir la véritable portée. "Gothique" devient parfois synonyme de "recherche de style quelque peu affecté" (précision dans le dessin, l'exécution; suppression du clair-obscur), et non pas toujours de "retour pur et simple aux canons de l'esthétique médiévale" (voire antiquisante, ou renaissante), — anachronismes au demeurant aisément repérables, et que nul ne se priva de relever, mais qu'on ne saurait reprocher à l'artiste étant donné les termes si personnels par lesquels il sut traduire ses fameux "emprunts". Puis apparut un autre élément qui devint bientôt, jusqu'à nos jours, un des leitmotive favoris de la critique: l'opposition Ingres-Delacroix, du rigide coryphée de la tradition classique et du champion avoué du mouvement romantique. Mais si cette opposition se justifie par l'antagonisme réel, et violent, qui surgit entre les deux artistes, il faut, là aussi, la ramener à sa juste mesure. L'œuvre d'Ingres, en effet, et malgré certaines déclarations du peintre lui-même, est si peu réductible à une simple application des principes académiques que les premiers reproches, — obstinément répétés, — lui vinrent justement du camp davidien (parfois d'ailleurs pour des raisons purement politiques), alors qu'il arriva à certains de ses prétendus adversaires, et à Delacroix lui-même, de lui être favorables: on peut soutenir que cette œuvre, sous certains aspects, ressortit bien à l'esthétique romantique; de même, on ne saurait accepter sans réserve la théorie selon laquelle le style d'Ingres, à la fois synthèse et transcendance du néo-classicisme, se-

rait à son tour dépassé par les courants du romantisme. Il faut rappeler, à ce propos, dans un courant parallèle, les dettes de Puvis de Chavannes et de Gustave Moreau à l'égard de l'archaïsme d'Ingres; et celle de Manet renonçant, au nom de la synthèse, à la fonction plastique du clair-obscur. Rappelons aussi, dans le groupe des impressionnistes de plus stricte observance, les périodes "ingristes" de Degas, pris du "désir passionné de la ligne unique qui détermine une figure", et de Renoir, attiré par les recherches du peintre sur la lumière et la couleur; chez les post-impressionnistes, l'intérêt de Seurat et de Signac pour celles sur les rapports de la couleur et du dessin, et celui de Cézanne, dans sa dernière période, pour la plénitude des formes; ou encore, en en venant au cubisme, l'exploitation par Picasso, dans le dessin au trait, de certaines de ses stylisations. Et si enfin, après l'hommage des peintres abstraits, le pop'art, dans son entreprise de désacralisation, fait grande consommation des odalisques d'Ingres, ce n'est peut-être pas un pur hasard.

Critiques et historiens n'ont pas manqué, chemin faisant, de mettre en lumière certains aspects, marginaux mais significatifs, de l'univers d'Ingres. Ainsi l'étude de ses sources a-t-elle particulièrement insisté sur l'importance de ses incursions dans l'art du passé, — de la peinture des vases grecs à la sculpture paléochrétienne, de l'ornementation byzantine à la miniature orientale, — pour ne parler que des arts plastiques. Dans ces dernières années, on a même réussi une étude esthétique de l'œuvre d'Ingres à partir d'éléments où quelques chercheurs du siècle dernier croyaient découvrir son point le plus faible: à tel point qu'une analyse correcte de son œuvre se présente aujourd'hui à peu près comme un renversement de valeurs, le bouleversement complet des conclusions auxquelles Baudelaire était parvenu par des observations cependant très aiguës.

Un homme que son talent aurait pu rendre recommandable, poursuivi par la manie de l'originalité, a cherché des routes nouvelles; mais il s'est égaré, et ce sont les fruits de ces ridicules écarts que nous avons sous les yeux.

G. JAL, *L'ombre de Diderot et le Bossu du Marais. Dialogue sur le Salon*, 1819

Ennemi juré de toutes les écoles modernes, et raffolant de l'école de Cimabué, il en saisit la sécheresse, la crudité, la simplicité et tous les attraits du gothique avec un talent rare. Il persiste tellement dans ce goût bizarre, que ses tableaux recouverts

d'une docte crasse en plusieurs couches, datés de Florence, 1250, ne paraîtraient pas du tout un anachronisme. Que l'auteur se persuade que les peintures gothiques sont sans harmonie, et que tout peintre sans harmonie est barbare.

GAULT DE SAINT-GERMAIN, *Choix des productions les plus remarquables exposées dans le Salon de 1819*, 1819

Je regrette de voir ce jeune artiste se donner beaucoup de peine pour gâter son beau talent.

KÉRATRY, *Annuaire de l'école française de peinture ou Lettres sur le Salon de 1819*, 1820

Une des choses, selon nous, qui distinguent surtout le talent de M. Ingres, est l'amour de la femme. Son libertinage est sérieux et plein de conviction. M. Ingres n'est jamais si heureux ni si puissant que lorsque son génie se trouve aux prises avec les appas d'une jeune beauté. Les muscles, les plis de la clair, les ombres des fossettes, les ondulations montueuses de la peau, rien n'y manque. Si l'île de Cythère commandait un tableau à M. Ingres, à coup sûr il ne serait pas folâtre et riant comme celui de Watteau, mais robuste et nourrissant comme l'amour antique.

CH. BAUDELAIRE, *Le musée classique du bazar Bonne-Nouvelle*, 1846

Dans un certain sens, M. Ingres dessine mieux que Raphaël, le roi populaire des dessinateurs. Raphaël a décoré des murs immenses; mais il n'eût pas fait si bien que lui le portrait de votre mère, de votre ami, de votre maîtresse. L'audace de celui-ci est toute particulière, et combinée avec une telle ruse, qu'il ne recule devant aucune laideur et aucune bizarrerie [...]

Talent avare, cruel, coléreux et souffrant, mélange singulier de qualités contraires, toutes mises au profit de la nature, et dont l'étrangeté n'est pas un des moindres charmes; — flamand dans l'exécution, individualiste et naturaliste dans le dessin, antique par ses sympathies et idéaliste par raison.

Accorder tant de contraires n'est pas une mince besogne: aussi n'est-ce pas sans raison qu'il a choisi pour étaler les mystères religieux de son dessin un jour artificiel et qui sert à rendre sa pensée plus claire, — semblable à ce crépuscule où la nature mal éveillée nous apparaît blafarde et crue, où la campagne se révèle sous un aspect fantastique et saisissant [...]

Les œuvres de M. Ingres, qui sont le résultat d'une attention excessive, veulent une attention égale pour être comprises. Filles de la douleur, elles engendrent la douleur.

CH. BAUDELAIRE, *Salon de 1846*

Les tableaux de M. Ingres ont plus de rapports qu'on ne pense avec les peintures primitives des peuples orientaux, qui sont une espèce de sculpture coloriée. Chez les Indiens, les Chinois, les Egyptiens, les Etrusques, par où commencent les arts? Par le bas-relief, sur lequel on applique de la couleur; puis on supprime le relief, et il ne reste que le galbe extérieur, le trait, la ligne. Appliquez la couleur dans l'intérieur de ce dessin élémentaire et voilà la peinture. Mais l'air et l'espace n'y sont point.

TH. THORÉ (THORÉ-BÜRGER), *Salon de 1846*

M. Ingres est en effet le peintre de l'art pour l'art; l'amour exclusif de la forme et la fantaisie caractérisent essentiellement sa manière.

F. DE LAGENEVAIS, *Peintres et sculpteurs modernes: M. Ingres*, in "Revue des Deux-Mondes", 1846

Je crois sincèrement que M. Ingres a échoué dans l'accomplissement de son dessin; je crois qu'il n'a pas réussi à s'absorber tout entier dans le souvenir et l'imitation de Raphaël. [...] S'il eût réussi, il ne serait rien; c'est pour avoir échoué qu'il mérite l'attention.

G. PLANCHE, *Les œuvres de M. Ingres*, in "Revue des Deux-Mondes", 1851

... Quel est le but de M. Ingres? Ce n'est pas, à coup sûr, la traduction des sentiments, des passions, des variantes de ces passions et de ces sentiments; ce n'est pas non plus la représentation de grandes scènes historiques (malgré ses beautés italiennes, trop italiennes, le tableau du *Saint Symphorien*, italianisé jusqu'à l'empilement des figures, ne révèle certainement pas la sublimité d'une victime chrétienne [...]

Je croirais volontiers que son idéal est une espèce d'idéal fait moitié de santé, moitié de calme, presque d'indifférence, quelque chose d'analogue à l'idéal antique, auquel il a ajouté les curiosités et les minuties de l'art moderne. C'est cet accouplement qui donne souvent à ses œuvres leur charme bizarre. Epris ainsi d'un idéal qui mêle dans un adultère agaçant la solitude calme de Raphaël avec les recherches de la petite-maîtresse, M. Ingres devait surtout réussir dans les portraits; et c'est en effet dans ce genre qu'il a trouvé ses plus grands, ses plus légitimes succès. Mais il n'est point un de ces peintres à l'heure, un de ces fabricants banals de portraits auxquels un homme vulgaire peut aller, la bourse à la main, demander la reproduction de sa malséante personne. M. Ingres choisit ses modèles, et il choisit, il faut le reconnaître, avec un tact merveilleux [...]

Ici cependant se présente une question discutée cent fois, et sur laquelle il est toujours bon de revenir. Quelle est la qualité du dessin de M. Ingres? Est-il d'une qualité supérieure? Est-il absolument intelligent? Je serai compris de tous les gens qui ont comparé entre elles les manières de dessiner des principaux maîtres en disant que le dessin de M. Ingres est le dessin d'un homme à système. Il croit que la nature doit être corrigée, amendée; que la tricherie heureuse, agréable, faite en vue du plaisir des yeux, est non seulement un droit, mais un devoir. On avait dit jusqu'ici que la nature devait être interprétée, traduite dans son ensemble et avec toute sa logique; mais dans les œuvres du maître en question il y a souvent dol, ruse, violence, quelquefois tricherie et croc-en-jambe [...] Ici nous trouverons un nombril qui s'égare vers les côtes, là un sein qui pointe trop vers l'aisselle; ici, — chose moins excusable (car généralement ces différentes tricheries ont une excuse plus ou moins plausible et toujours facilement devinable dans le goût immodéré du *style*), — ici, dis-je, nous sommes tout à fait déconcertés par une jambe sans nom, toute maigre, sans muscles, sans formes, et sans pli au jarret (*Jupiter et Antiope*).

Remarquons aussi qu'emporté par cette préoccupation presque maladive du style, le peintre supprime souvent le modelé ou l'amoindrit jusqu'à l'invisible, espérant ainsi donner plus de valeur au contour, si bien que ses figures ont l'air de patrons d'une forme très-correcte, gonflés d'une matière molle et non vivante, étrangère à l'organisme humain. Il arrive quelquefois que l'œil tombe sur des morceaux charmants, irréprochablement vivants; mais cette méchante pensée traverse alors l'esprit que ce n'est pas M. Ingres qui a cherché la nature, mais la nature qui a violé le peintre, et que cette haute et puissante dame l'a dompté par son ascendant irrésistible.

D'après tout ce qui précède, on comprendra facilement que M. Ingres peut être considéré comme un homme doué de hautes qualités, un amateur éloquent de la beauté, mais dénué de ce tempérament énergique qui fait la fatalité du génie.

CH. BAUDELAIRE, *L'Exposition universelle de 1855*

M. Ingres dessine les êtres vivants comme un géomètre décrirait les corps solides [...]

Il est rare que sa couleur n'altère pas son dessin. La fausseté des tons, luttant contre la justesse des lignes, les personnages avancent ou reculent contrairement au naturel et le spectateur est forcé de déserter une invraisemblable représentation. En vain les divers plans ont été marqués; en vain les figures ont été mises en perspective linéaire: cet absurde coloris vient tout bouleverser, faire le vide dans le plein, le plein dans le vide, détruire les distances, supprimer l'atmosphère, empiler, aplatir comme en un jeu de cartes les personnages les uns contre les autres [...]

La manière de M. Ingres exclut naturellement l'imagination, la verve, l'originalité. L'idéal n'est ni dans les réminiscences, ni dans le plagiat, ni dans l'entêtement, vertu de l'âne. La composition pyramidale, le fini, la douceur matérielle du pinceau, tout cela n'a rien de commun avec le génie. [...]

M. Ingres est le représentant absolu de ce pédantisme pseudo-grec et pseudo-romain qui veut faire entrer de force dans un moule appelé le *style* tous nos sentiments, toutes nos pensées. [...]

M. Ingres n'a rien de commun avec nous: c'est un peintre chinois égaré en plein dix-neuvième siècle dans les ruines d'Athènes.

TH. SILVESTRE, Histoire des artistes vivants, 1855

Au XVe siècle, il eût été peut-être Masaccio; ce qu'il fut à coup sûr, c'est un révolutionnaire.

[...] Cet homme fit plus qu'étonner: on ne comprit pas. Il est difficile, en effet, de s'imaginer la différence complète qui existait, pour des yeux habitués à un autre point de vue de l'art, entre les œuvres de M. Ingres et celles de ses contemporains. Je ne crains pas d'affirmer que cet aspect de vérité produisait sur le public de ce temps-là l'effet que nous causent certaines œuvres de la jeune école actuelle [...]

Je ne dirai donc pas que M. Ingres ait été romantique; mais ce que j'affirme, c'est qu'il n'a jamais été *classique* dans le sens qu'on prêtait à ce terme; la seule expression qui lui convienne est l'expression toute récente de *réaliste*. J'ajouterai qu'il a été *réaliste* à la manière de Masaccio, de Michel-Ange, de Raphaël.

P. AMAURY-DUVAL, L'atelier d'Ingres, 1878

Cette réputation d'artiste qui a fait tant de bruit et qui a obtenu tous les honneurs, même ceux du Sénat, augmentera-t-elle avec le temps? Nous ne le croyons pas. Comme peintre et comme compositeur, M. Ingres est déjà très diminué; reste le dessinateur. Comme tel, il se maintiendra au sommet de l'art. [...]

En somme, ce ne fut pas un grand peintre, *mais un grand professeur.*

A. BARBIER, Souvenirs personnels, 1883

Isolés, ces portraits, ces études sont parmi les belles choses que la France ait produites. Mais s'il veut imaginer, composer, prendre la trompette héroïque, monter plus haut que sa nature, il apparaît ce qu'il serait toujours si son génie sensuel n'était là pour sauver son âme: un esprit assez vulgaire, peut-être même un peu bas ...

Par là encore, par cette étroitesse de nature, très audacieuse, très puissante, très honnête certes, mais limitée, il est bourgeois. Il représente le rationalisme du XVIIIe siècle, arrivé enfin au pouvoir et décidé à y rester, fût-ce par la force brutale, et considérant le lyrisme des romantiques comme une sorte de chancre démagogique et révolutionnaire qu'il faut extirper à

tout prix, même en s'appuyant sur des institutions et des formules qu'il ne se cache pas de mépriser.

E. FAURE, Histoire de l'Art. L'Art moderne, 1909-21

C'est que malgré tous ses défauts et en dépit de son incapacité radicale à percevoir presque tout ce qui fait la joie des yeux dans la nature, ce diable d'homme a su, plus fortement que personne, exprimer le peu qu'il percevait. Comme l'a très bien démêlé le regard pénétrant d'Eugène Delacroix, l'œuvre de M. Ingres c'est "la complète expression d'une intelligence incomplète". Il est allé jusqu'au bout de son talent, jusqu'au bout de ses forces: ce qui est rare parmi les hommes. Il avait peu, mais il a tout donné: ce qui est d'un bel exemple et qui commande le respect [...]

Sa bonne foi étant entière, son honnêteté scrupuleuse, on ne peut en accuser que son œil [...] Mais il est probable qu'il était infiniment mieux doué pour la musique [...] On s'est peut-être trop moqué de sa passion pour la musique. Le vrai "violon d'Ingres", c'est la peinture.

R. DE LA SIZERANNE, L'œil et la main de M. Ingres,
in "Revue des Deux-Mondes", 1911

Avec ses airs guindés de pédagogue intransigeant et réactionnaire, il eut l'esprit le plus original, le plus personnel ...

J.-E. BLANCHE, Quelques mots sur Ingres, in "La revue de Paris", 1911

M. Ingres, tourné vers les primitifs, *attendait* les artistes au lendemain de l'impressionnisme, et déjà restait en relations avec lui par tout ce qui, chez Manet, atteste encore l'amour du style et le désir de faire "un tableau".

CH. MORICE, L'art contemporain et M. Ingres, in "Mercure de France", 1911

Toutes les fois qu'Ingres s'est mis en face de la nature, il l'a traduite par un chef-d'œuvre. Devant le modèle, à n'importe quelle heure de sa vie, il retrouve instantanément toute sa finesse, sa certitude et sa résolution. [...] Ni Holbein, ni Dürer, si consciencieux et si sagaces, n'approchent de cette perfection. Notez que cette qualité de la sensation, Ingres la possède au même degré comme coloriste que comme dessinateur. Il est convenu de lui refuser tout sentiment de la couleur: et à force de se l'entendre dire, il avait fini par le croire et par s'en glorifier. La vérité est qu'il avait, de ce côté encore, la même acuité de vision dont témoignent ses dessins.

L. GILLET, Ingres et la nouvelle exposition de ses œuvres,
in "Revue hebdomadaire", 1911

C'est par cette haute passion de l'ordre, par cette économie du modelé, par cette neutralité de matière qu'Ingres pouvait séduire en fin de compte les adversaires du romantisme.

H. FOCILLON, La peinture au XIXe siècle, 1927

Ingres dessine en soulignant le caractère individuel du modèle, selon son interprétation personnelle, comme faisait par exemple Pisanello ou les Florentins du XVe siècle. Il est le peintre de l'individuel, du particulier, du singulier, dans le sens que donnaient à ce mot Aristote et les scolastiques [...] Delacroix, au contraire, avec une personnalité au moins aussi forte, imite la nature par le général [...] L'un procède par analyse, une analyse de la forme qu'il résume en un trait synthétique. L'autre aborde d'emblée la nature par la synthèse, et porte plutôt sur la couleur ses facultés d'analyse.

Ingres [...] a, tout ensemble, l'horreur de l'anatomie et le scrupule du détail. Il est visuel avant tout.

Delacroix a l'imagination plus riche [...] Le dessin d'Ingres d'après nature est extrêmement sensible, mais cette sensibilité est à elle-même sa propre fin.

M. Denis, extraits d'une conférence prononcée à l'Institut d'esthétique contemporaine, 1933

Par la vertu d'un génie intuitif qui cependant ne s'appuyait pas sur une intelligence vive ni profonde, Ingres, qui semble ne viser qu'à l'exactitude, atteint dans ses meilleurs moments à une véritable beauté spirituelle et, même lorsqu'il ne semble poursuivre que les traits les plus individuels, il donne à l'effigie d'un homme ou d'une femme de son temps l'immortelle autorité d'un type général.

P. Jamot, Exposition de portraits par Ingres et ses élèves, 1934

Degas n'admettait pas la discussion quand il s'agissait de Monsieur Ingres. A qui lui disait que ce grand homme faisait des figures en zinc, il répliquait: "Peut-être! ... Mais alors, c'est un zingueur de génie".

P. Valéry, Degas Danse Dessin, 1936

Deux tableaux, la *Source*, *Monsieur Bertin*, ont fait de M. Ingres un peintre célèbre et même un peintre populaire. Et pourtant que de malentendus derrière cette notoriété. Connaît-on en effet d'artistes pris pour modèles de façon plus équivoque qu'il ne le fût et qu'il ne l'est, lui dont l'exemple cautionne les enseignements les plus traditionnels en même temps qu'il stimule, – de Degas à Renoir, de Picasso et La Fresnaye aux "jeunes turcs" du Pop'art, – les artistes les moins suspects de conformisme? Connaît-on, à son niveau de célébrité, beaucoup d'artistes qui, discutés et mal compris de leur vivant comme il le fut, aient gardé autant que lui le pouvoir permanent de déconcerter, de susciter tour à tour l'admiration la plus pure et la franche irritation, des émerveillements un peu pervers, bien rarement l'indifférence? Connaît-on d'autres grands maîtres du XIXe siècle qui soient, comme Ingres l'est parfois, admirés *malgré* eux, pour des qualités ou des réussites sans doute involontaires (Ingres n'a pas cherché l'effet d'érotisme saugrenu qui enchante dans *Jupiter et Thétis*), un peu comme on admire le créateur de tel ou tel objet exotique sans rien connaître de ses vraies intentions?

M. Laclotte, in *Ingres. Petit Palais*, 1967

Si Ingres n'avait laissé que son œuvre de portraitiste, peint ou dessiné, sa gloire serait indiscutable, grande, simple, immuable, semblable à celle de Holbein. Mais il eut le tort de laisser une œuvre plus riche que le peintre qu'à trois siècles de distance il a miraculeusement égalé, et parfois surpassé. Certes on le suit avec admiration quand il esquisse, d'après nature, un torse, un bras, une jambe, lorsqu'il crayonne un paysage romain, surtout quand il peint un nu et atteint, avec la toute divine *Baigneuse de Valpinçon*, à la seule beauté vermeerienne que le peintre de Delft n'a pas lui-même réalisée. Mais là n'était pas l'ambition d'Ingres. Il ne savait que trop que les sommets de l'art sont réservés aux peintres d'histoire, et n'était pas homme à se contenter du second rang.

Il était ainsi contraint de recourir à une faculté qui lui faisait presque entièrement défaut: l'imagination, sa parcimonieuse imagination, il était forcé de la forcer, et il s'exécutait avec cette obstination farouche qui lui était particulière. Faut-il s'étonner qu'à partir de ces données il soit arrivé à des résultats bizarres? Ils sont multiples, tantôt étrangement fascinants, tantôt frisant le plagiat, tantôt grimaçants, rarement inoffensifs, toujours déconcertants.

H. Naef, *Ingres dessinateur de portraits*, in *Ingres. Petit Palais*, 1967

Ingres peint le bouton d'une redingote et le peint ovale parce que c'est ainsi que nous le voyons en perspective; mais il s'interdit de penser, et de faire penser, que le bouton en réalité est rond, et que c'est sa position dans le contexte qui lui donne cette apparence ovale. La forme prise par le bouton dans le jeu déformant de l'imagination et de la mémoire n'est pas le cercle, c'est l'ovale: c'est lui qui porté à la limite au delà de laquelle il ne peut plus varier, devient la forme vraie, absolue. Ou bien l'artiste peint l'applique dorée d'un meuble Empire, la frange d'un tapis, la broderie d'un châle: il les rend à l'aide de quelques reflets de lumière ou de quelques touches colorées sur le ton du fond, sans rien décrire; et pourtant il réussit à donner à ces objets une vérité frappante, paralysante. Il n'évoque pas la chose, il y substitue intégralement son image; et l'image appartient au sujet, elle est un moment réel de son existence. La peinture de Delacroix vaut par l'infinité de choses auxquelles elle fait penser; la valeur de la peinture d'Ingres consiste à empêcher, à empêcher catégoriquement de penser à autre chose. La peinture prend en somme la place de la réalité comme dans un fossile le minéral se substitue à la chose vivante dans l'empreinte qu'elle a laissée. On peut parier que les portraits d'Ingres sont ressemblants, cependant la personne peinte est aussi éloignée du vrai modèle que peut l'être le personnage d'un roman de Stendhal par rapport à la personne qui, éventuellement, a servi de modèle à l'auteur. Ce procédé de substitution intégrale de l'art à la vie est, naturellement, un procédé de substitution de la forme *ne varietur* à la forme changeante, sensible, de la réalité. Mais la seule façon de désensibiliser la forme et de la rendre autonome et invariable est de donner toutes ses possibilités de réaction, de relation, de variation comme épuisées et donc expérimentées. Les figures d'Ingres en ont terminé avec la vie et ne vivent plus que dans la peinture, mais elles portent et résolvent dans la peinture tout ce qu'elles ont été dans la vie. Ce processus de déformation, qu'en termes actuels on dirait "expressionniste", ne conduit pas à la déformation ou au laid, mais au beau, c'est-à-dire à des formes déjà fixées par l'histoire et par cela même, invariables. Pensons par exemple au *Songe d'Ossian* qu'un rien sépare des visions apocalyptiques de Blake; ou à *Roger délivrant Angélique* où seul un équilibre précaire empêche l'idéal raphaëlesque de se transformer en une vision horrible, à la Bosch.

P. Bucarelli, in *Ingres in Italia*, 1968

On dit 'Raphaël' et on croit que cela suffit; mais s'il est vrai qu'Ingres en a fait des copies directes, s'il est vrai que Raphaël représente pour lui quelque chose d'incorruptible, une étoile fixe plus encore qu'un soleil, il est vrai aussi qu'à Raphaël, Ingres n'y arrive pas directement, et ceux qu'agaçaient la sécheresse de son style le virent bien. Il part de la peinture du Trecento et du Quattrocento et trouve enfin dans le Dominiquin et dans Sassoferrato l'angle idéal sous lequel Raphaël devait être vu...

Que l'on ne voit pas ici un désir stérile de diminuer la grandeur de ce peintre impérissable car s'il existait dans le temps quelque chose comparable à cette absence de pesanteur qu'expérimentent nos astronautes dans l'espace, c'est bien à Ingres, ou à personne, qu'elle devrait appartenir. Et cela dit aussi la vanité de vouloir mesurer un artiste au mètre de l'actualité. Ingres ne fut jamais actuel, et son plus beau tableau qui, excepté les portraits, est à mon avis le *Bain turc*, ne fut achevé qu'en 1862 alors que néo-classicisme et romantisme étaient déjà passés et que pointait l'aube de la peinture impressionniste. Mais Ingres aurait pu arriver même au Cubisme: cela aurait été la même chose. Car il ne s'agit pas, comme on le fait indûment aujourd'hui, de saluer en lui le "premier peintre moderne": il s'agit tout simplement de reconnaître que chez lui, rien d'autre ne compte que le style.

C. Brandi, Ingres torna a Roma, in "La fiera letteraria", 1968

... Que d'idées à changer à propos de cet Ingres; nous le regardons stupéfaits d'admiration et pourtant il n'obtient pas encore notre sympathie. Mais il faut bien admettre qu'il n'est plus aussi loin de nous que la lune ...

M. Valsecchi, in "Tempo", 1968

On se rend compte finalement qu'il faut aimer Ingres pour ce que j'appellerai le caractère objectif de son art. Ce qui caractérise le modernisme est l'attention de plus en plus grande prêtée à l'objet. Dans la littérature, dans le cinéma (chez Godard, par exemple), comme dans la peinture (c'est le cas du pop'art), le regard de l'artiste se fixe sur l'objet. C'est pourquoi de merveilleux peintres du passé, plus romantiques, plus "voilés" dans leur représentation de la réalité, nous semblent moins actuels qu'Ingres dont l'observation est si attentive qu'on pourrait presque la qualifier de maniaque. Jamais dans son œuvre on ne voit de vastes ciels, de batailles ou de foules humaines seulement esquissés. Son œil se fixe sur le détail plutôt que sur l'ensemble et donne un relief très photographique aux contours. Il réduit tout à un objet, même la femme, présente dans toutes ses toiles. Il me fait penser par là à Robbe-Grillet et à certaines scènes de sa *Maison de rendez-vous* où l'ambiguïté "femme-statue" est évidente. Il y a toutefois une différence substantielle, car l'imagination de Robbe-Grillet est plutôt orientée vers le sadisme, tandis qu'il n'y a rien de tout cela chez Ingres.

A. Pieyre de Mandiargues, Ingres (entretien), in "L'Europeo", 1968

Son génie, car c'est de génie après tout qu'il s'agit, est un tissu d'ambiguïtés et de contradictions; la fascination qui émane de ses peintures, même les plus compliquées et les plus longuement méditées, tient très souvent à ce singulier mélange de qualités opposées qui n'a pas échappé à Baudelaire. Ce sont des ambiguïtés et des contradictions qui se cachent insidieuses derrière l'immobilité apparente des principes académiques, se manifestent par des déviations subtiles, des complaisances souples, d'arbitraires déformations anti-naturalistes, et aussi par de trou-

blantes concessions à la veine perpétuelle et secrète de l'érotisme, et qui plus d'une fois, nous portent à aimer en Ingres justement ce que nous y lisons malgré lui. Suggestions cachées sous l'étrangeté visible de son monde et de sa froideur lunaire et qui provoquent des sensations bien différentes de l'adhésion immédiate car elles naissent en nous 'malgré' son manque patent d'imagination généreuse, 'malgré' son héroïque mortification des facultés spirituelles propres au romantisme, qui se faisait une idée certainement bien différente de la fatalité du génie.

... Ses préoccupations dominantes, la vénération de l'antique et le respect de 'l'école', son abus presque cruel même de volonté, son énergie froide et énorme, et sa longue patience proverbiale le rattachent plus aux méthodes du néo-classicisme qu'à celles du plein romantisme; n'oublions pas qu'il œuvra toujours en puisant à pleines mains dans le vieux fonds intellectuel d'une culture imbue de classicisme qui ne lui survécut certes pas: histoires de l'antiquité, fables, légendes mythologiques. Mais s'il fut spectateur, d'un point de vue toujours très élevé, des événements qui changèrent en tout sens l'aspect du monde (la Révolution, l'Empire, la Restauration, et toute cette chaîne de formidables remous qui amenèrent le Second Empire; si lui, qui avait grandi parmi la première génération des davidiens, mourut la même année que Baudelaire, après Delacroix, alors que Courbet achevait presque sa parabole, et quand Manet, Renoir et Monet avaient déjà ouvert la voie aux visions nouvelles de l'Impressionnisme, nous constatons, non sans étonnement, qu'il réussit à n'être jamais 'hors de son temps'. Il ne fut jamais un 'survivant', et ceci grâce à ses qualités latentes qui éludent en quelque sorte les frontières du néo-classicisme et du romantisme. Qualités absolument personnelles, nées d'une souveraine indifférence au transitoire, d'une foi dogmatique dans la valeur du style, et d'une extraordinaire énergie dominatrice qui ne l'abandonna jamais, même à quatre-vingts ans passés. Sa 'présence' fut en somme toujours acceptée aveuglément ou violemment discutée, peut-être justement parce qu'il fut le même du début à la fin: inimitable même si déplorablement imité, talent avare, têtu, impatient, idéaliste par raisonnement mais fascinant 'au-delà' des limites de la raison, si bien que son exemple put à la fois être invoqué par le traditionnalisme le plus réactionnaire et stimuler les artistes les moins suspects de conformisme.

G. Briganti, in "L'Espresso", 1968

La disproportion entre projet et résultat, entre songe et réalité, disproportion subversive que l'espace freine mais n'annule pas, est un élément essentiel de *Jupiter et Thétis* et de l'œuvre entière d'Ingres (fanatique des Grecs et peintre des bourgeois, maniaque du détail et faible en composition académique, artiste ayant assez peu à dire et porté à dire exceptionnellement ce que lui offrent les circonstances, prédicateur de principes rigoureux et vertigineusement attiré par la nudité), et c'est cet élément que la critique commence maintenant à mieux évaluer. Un motif extraordinaire d'inquiétude, et de modernité. Ce sont justement les conservateurs délibérés qui ont le don de devancer le temps, de détruire l'hypocrisie de l'équilibre officiel en en démontrant ingénuement l'impossibilité.

O. del Buono, in "Panorama", 1968

La couleur
dans l'œuvre de
Ingres

Table des reproductions

Les chiffres arabes placés entre crochets à la suite du titre de l'œuvre, dans les légendes des planches en couleurs, renvoient à la numérotation adoptée dans le Catalogue des œuvres (pp. 86-119). La largeur réelle du tableau ou du détail reproduit est indiquée (en centimètres) pour chaque planche.

PL. I PORTRAIT DE L'ARTISTE À L'ÂGE DE VINGT-QUATRE ANS Chantilly, Musée Condé [n. 18 a]
Ensemble (61 cm.).

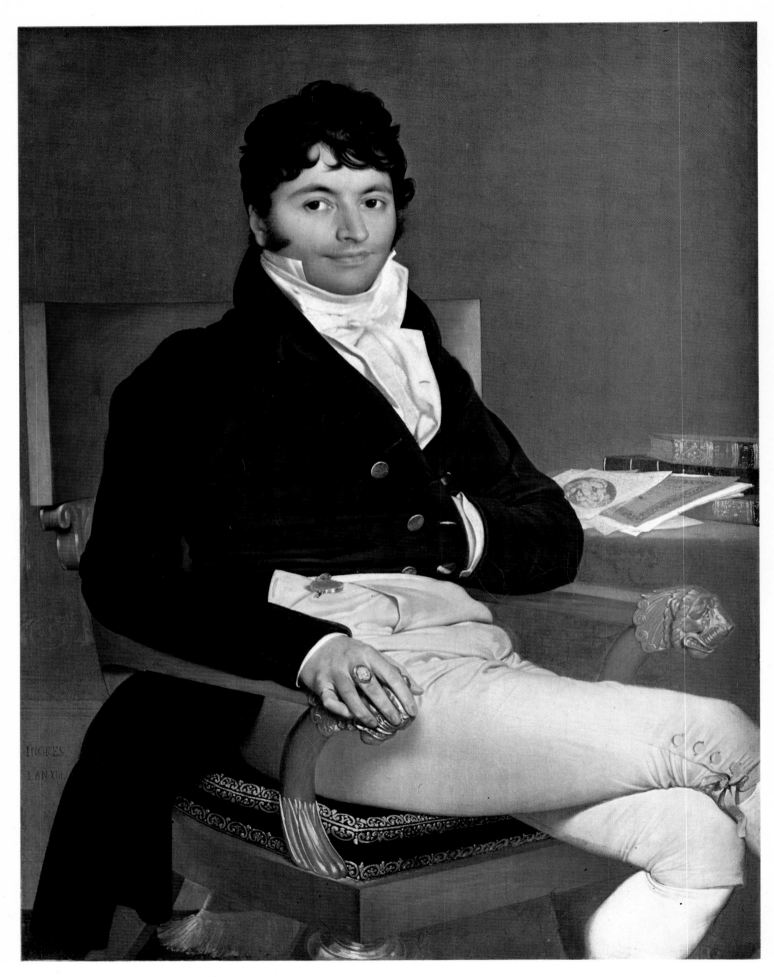

PL. III MADEMOISELLE RIVIÈRE Paris, Louvre [n. 24]
Ensemble (70 cm.).

PL. IV   MADEMOISELLE RIVIÈRE Paris, Louvre [n. 24]
Détail (grandeur nature).

NAPOLÉON BONAPARTE, PREMIER CONSUL   Liège, Musée des Beaux-Arts   [n. 16]
Ensemble (147 cm.).

PL. VI NAPOLÉON BONAPARTE, PREMIER CONSUL   Liège, Musée des Beaux-Arts   [n. 16]
Détail (52 cm.).

PL. VII   ŒDIPE ET LE SPHINX Paris, Louvre [n. 51 a]
Ensemble (144 cm.).

PL. VIII FRANÇOIS-MARIUS GRANET Aix-en-Provence, Musée Granet [n. 46]
Ensemble (61 cm.).

PL. IX   MADAME DEVAUÇAY Chantilly, Musée Condé   [n. 45 a]
Ensemble (59 cm.).

A. LE CASIN DE RAPHAËL Paris, Musée des Arts Décoratifs [n. 43] - Ensemble (diamètre: 16 cm.).
B. LE CASINO DE L'AURORE DE LA VILLA LUDOVISI Montauban, Musée Ingres [n. 42] - Ensemble (diamètre: 16 cm.).

PL. XI LA BAIGNEUSE A MI-CORPS Bayonne, Musée Bonnat [n. 44]
Ensemble (42 cm.).

INGRES.
1806.

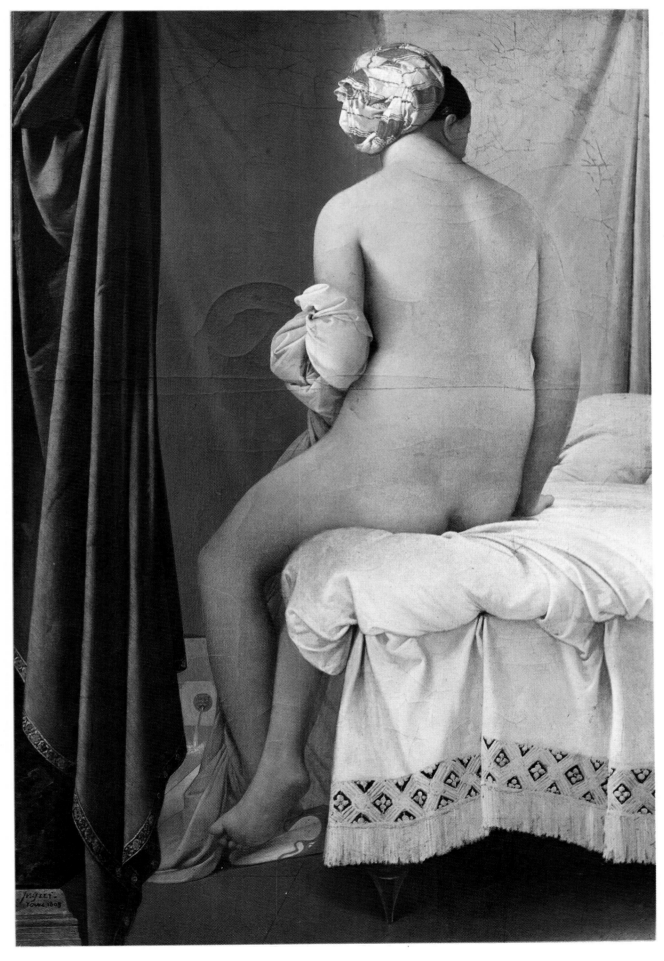

LA BAIGNEUSE DITE DE VALPINÇON Paris, Louvre [n. 50]
Ensemble (97,5 cm.).

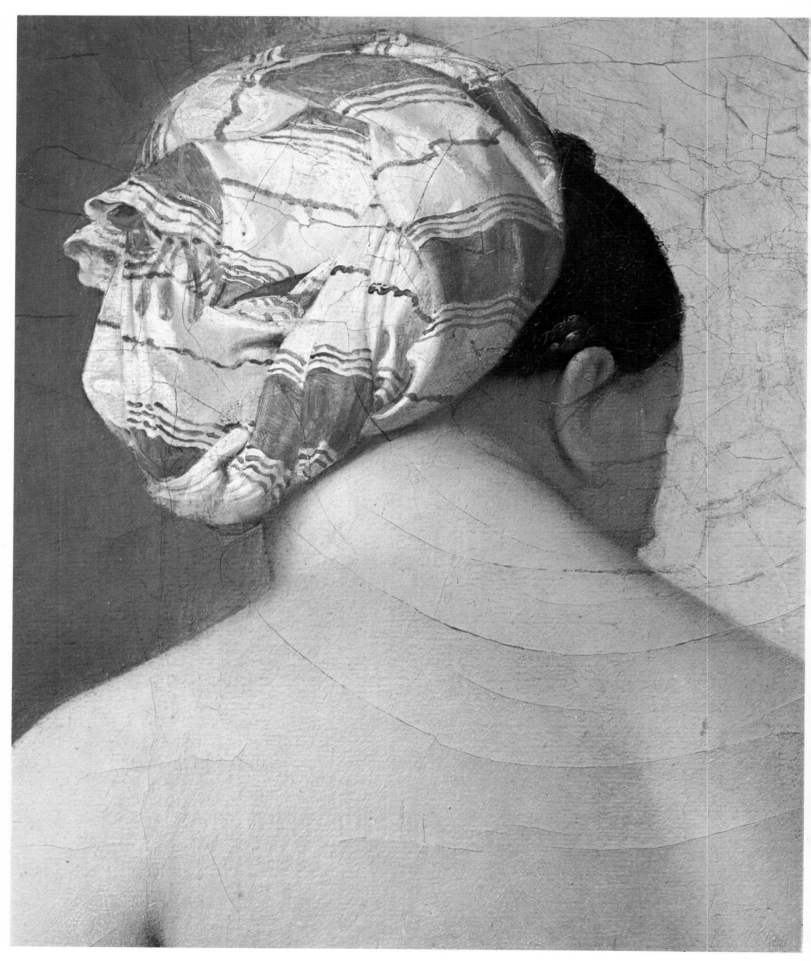

PL. XIV   LA BAIGNEUSE DITE DE VALPINÇON Paris, Louvre   [n. 50]
Détail (27 cm.).

NAPOLÉON Ier SUR LE TRÔNE IMPÉRIAL Paris, Musée de l'Armée [n. 37]
Ensemble (163 cm.).

PL. XVI   JOSEPH-ANTOINE MOLTEDO   New York, Metropolitan Museum   [n. 62]
Ensemble (58 cm.).

JEAN-BAPTISTE DESDÉBAN Besançon, Musée des Beaux-Arts [n. 61]
Ensemble (49 cm.).

PL. XVIII   CHARLES-JOSEPH-LAURENT CORDIER Paris, Louvre   [n. 65]
Ensemble (70 cm.).

PL. XIX   VIRGILE LISANT "L'ENÉIDE" DEVANT AUGUSTE, OCTAVIE ET LIVIE, ou "TU MARCELLUS ERIS ..."   Bruxelles, Musées Royaux des Beaux-Arts   [n. 70 b]
Ensemble (142 cm.).

PL. XXII   LE SONGE D'OSSIAN (esquisse) Montauban, Collection particulière [n. 76]
Ensemble (aquarelle; 28 cm.).

PL. XXIII   LE SONGE D'OSSIAN Montauban, Musée Ingres   [n. 76]
Ensemble (275 cm.).

PL. XXIV-XXV   LA GRANDE ODALISQUE Paris, Louvre   [n. 83 a]
Ensemble (162 cm.).

PL. XXVII   LA GRANDE ODALISQUE Paris, Louvre [n. 83 a]
Détail (grandeur nature).

PL. XXVIII   PAOLO ET FRANCESCA Angers, Musée Turpin de Crissé [n. 80 b]
Ensemble (39 cm.).

PL. XXIX   DON PEDRO DE TOLÈDE BAISANT L'ÉPÉE DE HENRI IV   Oslo, Collection particulière   [n. 82 c]
Ensemble (40 cm.).

PL. XXX   MADAME DE SENONNES   Nantes, Musée des Beaux-Arts   [n. 93]
Ensemble (84 cm.).

PL. XXXI   LE COMTE GOURIEV   Leningrad, Ermitage   [n. 107]
Ensemble (86 cm.).

PL. XXXII MADAME LEBLANC New York, Metropolitan Museum [n. 110]
Ensemble (92,4 cm.).

L. XXXIII   MADAME MARCOTTE DE SAINTE-MARIE Paris, Louvre   [n. 118]
Ensemble (74 cm.).

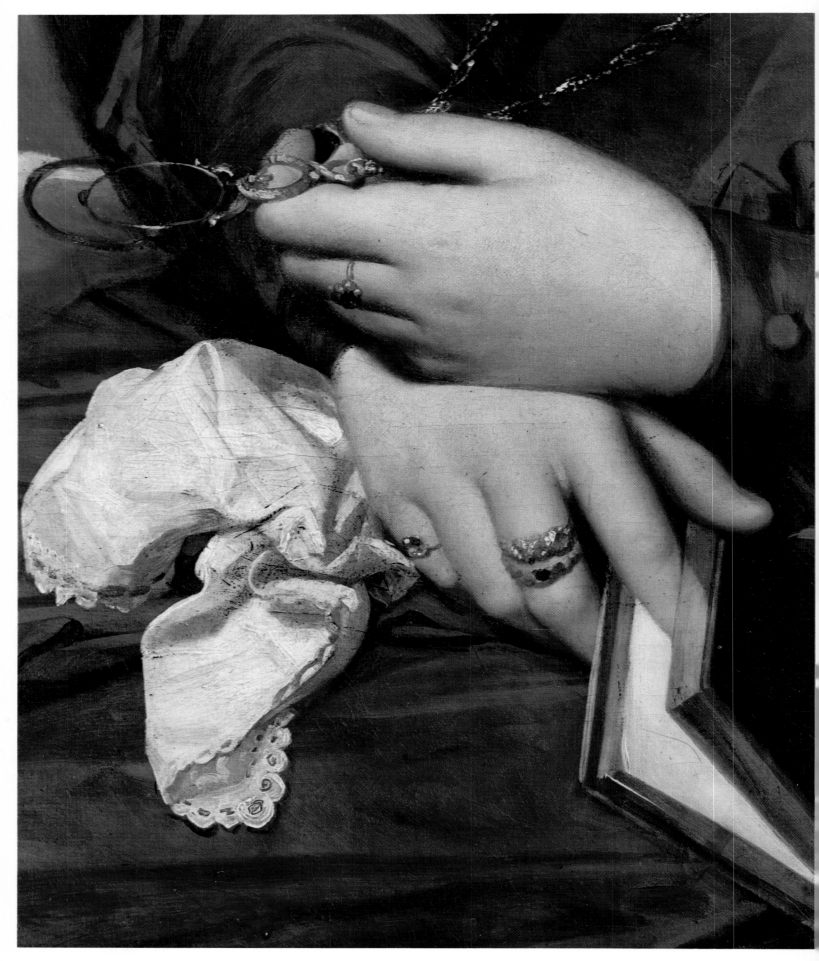

PL. XXXIV MADAME MARCOTTE DE SAINTE-MARIE Paris, Louvre [n. 118]
Détail (grandeur nature).

PL. XXXV   LA PETITE BAIGNEUSE, ou INTÉRIEUR DE HAREM   Paris, Louvre   [n. 122 a]
Ensemble (27 cm.).

PL. XXXVI L'APOTHÉOSE D'HOMÈRE Paris, Louvre [n. 121 a]
Détail (80 cm.).

PL. XXXVIII   LE MARTYRE DE SAINT SYMPHORIEN (étude) Montauban, Musée Ingres [n. 128 e]
Ensemble (50 cm.).

PL. XXXIX   MONSIEUR BERTIN Paris, Louvre [n. 124]
Ensemble (95 cm.).

L'ODALISQUE A L'ESCLAVE Baltimore, Walters Art Gallery [n. 129 b]
Ensemble (100 cm.).

PL. XLII   RAPHAËL ET LA FORNARINA Columbus, Gallery of Fine Arts   [n. 73 d]
Ensemble (27 cm.).

PL. XLIII FERDINAND-PHILIPPE, DUC D'ORLÉANS Louveciennes, Collection de Mgr le Comte de Paris [n. 134 a]
Ensemble (122 cm.).

PL. XLIV   FERDINAND-PHILIPPE, DUC D'ORLÉANS Louveciennes, Collection de Mgr le Comte de Paris [n. 134 a]
Détail (43 cm.).

PL. XLV   LUIGI CHERUBINI ET LA MUSE DE LA POÉSIE LYRIQUE   Paris, Louvre   [n. 133 a]
Ensemble (94 cm.).

ΟΛΥΣΣΕΙΑ

PL. XLVI   L'ODYSSÉE Lyon, Musée des Beaux-Arts   [n. 121 ee]
Ensemble (55 cm.).

PL. XLVII   MADAME CAVÉ New York, Metropolitan Museum   [n. 138]
Ensemble (32,7 cm.).

PL. XLVIII   LA BARONNE JAMES DE ROTHSCHILD Paris, Collection Guy de Rothschild   [n. 147]
Ensemble (101,5 cm.).

PL. IL   LA COMTESSE D'HAUSSONVILLE New York, Frick Collection [n. 139 a]
Ensemble (92 cm.).

MADAME MOITESSIER Washington, National Gallery [n. 148]
Ensemble (105 cm.).

PL. LI MADAME GONSE Montauban, Musée Ingres [n. 150]
Ensemble (62 cm.).

VENUS ANADYOMÈNE Chantilly, Musée Condé [n. 146 a]
Ensemble (92 cm.).

LA SOURCE Paris, Louvre [n. 155 a]
Ensemble (82 cm.).

PL. LIV   LA SOURCE Paris, Louvre   [n. 155 a]
Détail (30 cm.).

PL. LV   MADAME MOITESSIER Londres, National Gallery [n. 156 a]
Ensemble (92 cm.).

PL. LVI   MADAME MOITESSIER Londres, National Gallery   [n. 156 a]
Détail (35 cm.).

PL. LVIII   LE BAIN TURC Paris, Louvre   [n. 168 a]
Ensemble (diamètre: 108 cm.).

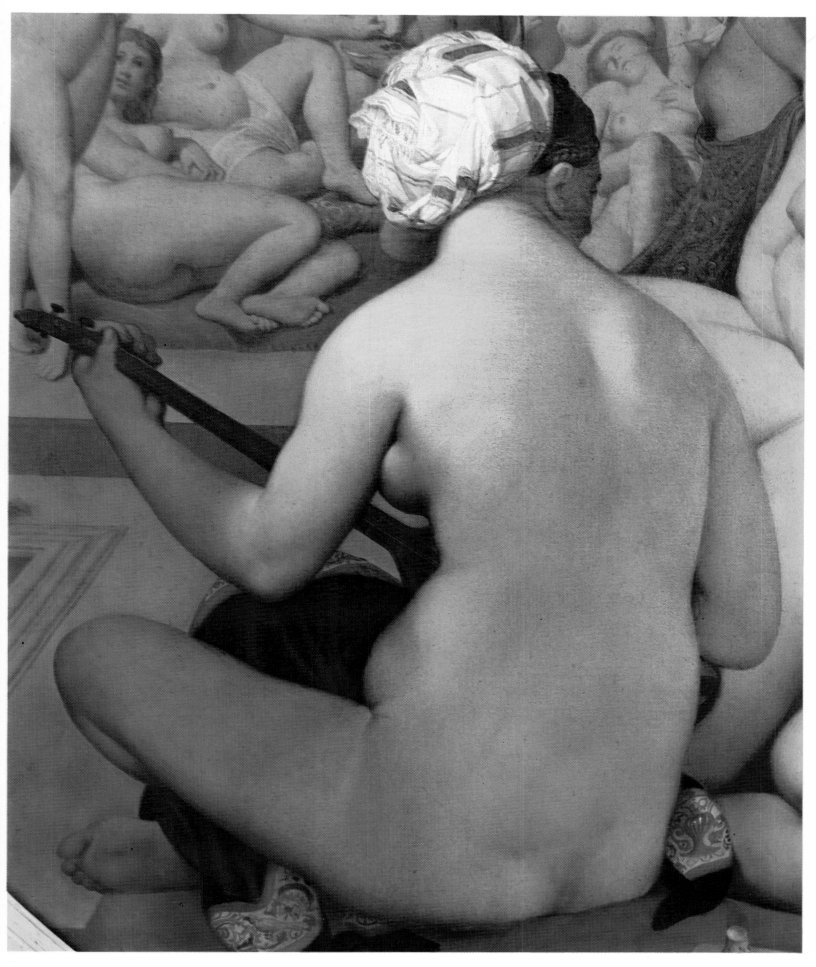

PL. LIX LE BAIN TURC Paris, Louvre [n. 168 a]
Détail (43 cm.).

PL. LXII　　LE BAIN TURC　Paris, Louvre　[n. 168 a]
　　　　　　　Détail (25 cm.).

PL. LXIII   LE BAIN TURC Paris, Louvre [n. 168 a]
Détail (25 cm.).

PL. LXIV   ROGER DÉLIVRANT ANGÉLIQUE (étude) Cambridge (Massachusetts), Fogg Art Museum [n. 100 b]
Ensemble (37 cm.).

Documentation

La présente monographie est en grande partie redevable non seulement des nombreux travaux qui l'ont précédée, et dont on trouvera ci-dessous l'inventaire sommaire, mais aussi de l'apport critique des catalogues des expositions qui, en 1967 et 1968, ont eu lieu à Cambridge (Mass.), Montauban, Paris et Rome, à l'occasion du centenaire de la mort d'Ingres.

L'édition française a eu le privilège de bénéficier des précieux conseils du Dr. Hans Naef et de M. Philippe Huisman. MM. Jacques Foucart et Daniel Ter-

nois ont accepté d'en relire le manuscrit et l'ont complété en maints endroits: qu'hommage leur soit ici rendu.

Les Editeurs tiennent à remercier tout particulièrement M. Daniel Wildenstein qui les a autorisés à puiser aussi largement qu'ils le désiraient dans les ouvrages et les documents de M. Georges Wildenstein. M. Robert Fohr a revu l'ensemble pour la seconde édition française et y a apporté les compléments rendus nécessaires par l'avancement des recherches.

Bibliographie essentielle

La bibliographie la plus importante se trouve dans l'ouvrage de base de G. WILDENSTEIN (1954) auquel il convient de se référer constamment. On trouvera également d'importants éléments bibliographiques dans N. SCHLENOFF [*Sources littéraires*, 1956], mais la bibliographie la plus à jour se trouve dans le catalogue de l'Exposition du Petit Palais de 1967-68 ("C" 1967) – ce dernier comporte également une liste exhaustive des expositions où ont figuré des œuvres d'Ingres – et pour les années 1968-1978, dans la mise au point de D. TERNOIS [*Ingres et l'Ingrisme. Etat des travaux et bibliographie*, "Formes" 1978].

Pour les écrits personnels du peintre (notes, lettres, etc.): P. DEBIA [*Souvenirs intimes sur Ingres*, Montauban 1868], CH. BLANC ["GBA" 1870], H. DELABORDE [*Notes et pensées de J.-A.-D. Ingres sur les beaux-arts*, "GBA" 1870], J. MOMMÉJA [*La correspondance d'Ingres*, "RSD" 1888; *Le cahier IX ...*, "id." 1896], L. MABILLEAU [*Les cahiers d'Ingres ...*, "RP" 1896], H. LAPAUZE [*Les cahiers de Montauban*, "CO" 1898; *Les dessins de J.-A.-D. Ingres ... de Montauban* (en particulier pour les cahiers IX et X), Paris, 1901; *Le roman d'amour de M. Ingres*, Paris 1910], A.-J. BOYER D'AGEN [*Ingres d'après une correspondance inédite*, Paris 1909], R. COGNIAT [*Ingres, Ecrits sur l'art*, Paris 1947], P. COURTHION [*Ingres raconté par lui-même et par ses amis*, Vésenaz-Genève, t. I, 1947; t. II, 1948], N. SCHLENOFF [*Ingres, Cahiers littéraires inédits*, Paris 1956]. En outre, diverses lettres furent publiées dans "CTG" 1867, "NAAF" 1880-81, "RB" 1908, "F" 1909, 1913, 1921, "M" 1911, "G" 1913, "COR" 1913, "BSHAF" 1918-19, "RAAM" 1920, "RF" 1939, "BMI" 1969, 1970, 1971, 1972, 1973, 1978, 1980, etc.

On doit de plus importantes études plus importantes, de caractère général, et sur la peinture en particulier à: CH. BAUDELAIRE [*Ingres* (1855), in *Curiosités esthétiques*, Paris 1923], TH. SILVESTRE [*Histoire des artistes vivants*, Paris 1856], E.-J. DELÉCLUZE [*L. David, son école ...*, Paris 1863], F. GÉRARD [*Correspondance de François Gérard ...*, Paris 1867], CH. BLANC [*Ingres, sa vie et ses ouvrages*, Paris 1870], H. DELABORDE [*Ingres, sa vie,*

ses travaux, sa doctrine, d'après les notes manuscrites et les lettres du maître (avec un catalogue de l'œuvre), Paris 1870], E. GATTEAUX [*Collection de 120 dessins, croquis et peintures de M. Ingres*, Paris 1875], E.-E. AMAURY-DUVAL [*L'Atelier d'Ingres*, Paris 1878], R. BALZE [*Ingres, son école, son enseignement ...*, Paris 1880; "R" 1921], J. MOMMÉJA [*Collections Ingres ... de Montauban*, Paris 1905], H. LAPAUZE [*Ingres, sa vie et son œuvre d'après des documents inédits* (avec un catalogue de l'œuvre), Paris 1911 (désigné ici par L.)], L. FRÖLICH-BUM [*Ingres, sein Leben und sein Stil*, Vienne-Leipzig, 1924], F. BOUISSET [*Le Musée Ingres*, Montauban 1926], L. HOURTICQ [*Ingres, l'œuvre du maître*, Paris 1928], J. FOUQUET [*La vie d'Ingres*, Paris 1930], L. GUERBER BURROUGHS ["CA" 1932], W. PACH [*Ingres*, New York-Londres 1939; rééd. New York 1973], J. CASSOU [*Ingres*, Bruxelles 1947], A. BERTRAM [*J.-D.-A. Ingres*, Londres-New-York 1949], ALAIN [*Ingres, ou le dessin contre la couleur*, Paris (1949)], J. ALAZARD [*Ingres et l'ingrisme*, Paris 1950], H. NAEF ["Du" 1951, 1955, 1959, 1963, 1966; "AT" 1956; "P" 1956, 1966; "ZK" 1956; "O" 1957, 1958; "WE" 1958; "AB" 1958; *Rome vue par Ingres*, Lausanne 1960; "PA" 1964; pour la bibliographie complète des travaux de H. NAEF sur Ingres, de 1946 à 1966, voir "BMI" juillet 1966 et juillet 1976], G. WILDENSTEIN [*The Paintings of J.-A.-D. Ingres*, Londres 1954 (avec un catalogue de l'œuvre; désigné ici par: W)], P. MESPLÉ-D. TERNOIS [*Ingres et ses maîtres, de Roques à David* (catalogue), Toulouse-Montauban 1955], D. TERNOIS [*Montauban, Musée Ingres, Ingres et son temps*, "ICPF, 11" 1965; et J. LACAMBRE, *Ingres et son temps* (catalogue), Montauban 1967; voir la bibliographie des travaux de D. et M.-J. TERNOIS sur Ingres dans "C" 1967], R. ROSENBLUM [*Ingres*, New York 1967, Paris 1969, Milan 1973], M. LACLOTTE - H. NAEF - F. NORA - L. DUCLAUX - J. FOUCART - M. SERULLAZ - D. TERNOIS [*Ingres, Petit Palais* (catalogue), Paris 1967], P. ANGRAND [*Monsieur Ingres et son époque*, Lausanne - Paris 1967], M. LACLOTTE - P. BUCARELLI - J. FOUCART - H. NAEF - D.

TERNOIS [*Ingres in Italia* (catalogue), Rome 1968], G. COLACICCHI - A.-M. MAETZKE - M. MÉRAS - A. NOCENTINI [*Ingres e Firenze* (catalogue), Florence 1968], A. WHITELEY [*Ingres*, Oresko Books 1977], M.-B. COHN - S.-C. SIEGFRIED [*Works by J.-A.-D. Ingres in the collection of the Fogg Art Museum* (catalogue), Cambridge (Mass.) 1980], D. TERNOIS [*Ingres*, Milan et Paris 1980]. Divers: *Actes du Colloque Ingres* (Montauban 1967), Montauban 1968; H. TOUSSAINT [in *The Age of Neoclassicism* (catalogue), Londres 1972], J. FOUCART [in *De David à Delacroix* (catalogue), Paris 1974], les *Actes du Colloque Ingres et le Néoclassicisme* (Montauban 1975), Montauban 1977; F. MATHEY [*Equivoques* (catalogue), Paris 1975]. Signalons également le *Bulletin du Musée Ingres* ("BMI"), semestriel depuis 1956, dont la très utile rubrique "L'Ingrisme dans le monde" a été tenue successivement par D. Ternois puis H. Naef et l'est à présent par J. Foucart.

Sur les élèves d'Ingres et l'influence durable de l'artiste, signalons en outre: J. LACAMBRE [*Les élèves d'Ingres et la critique du temps* in *Colloque Ingres* (1967), Montauban 1969], P. ANGRAND ["GBA" mai-juin

1968], G. et J. LACAMBRE ["BMI, 25" 1969], D. TERNOIS - G. VUILLEMOT [*La tradition d'Ingres à Autun* (catalogue), Autun 1971], D. TERNOIS [*Baudelaire et l'Ingrisme*, in *French 19th Century Painting and Literature*, edited by Ulrich Finke, Manchester 1972], G. LACAMBRE [*Le Musée du Luxembourg en 1874* (catalogue), Paris 1974], B. FOUCART - P. COUR - V. NOËL-BOUTON [*Amaury-Duval, 1808-1885* (catalogue), Montrouge 1974], le catalogue de l'exposition *Ingres et sa postérité: jusqu'à Matisse et Picasso* (Montauban 1980), et les *Actes du Colloque Ingres et son influence* (Montauban 1980), Montauban s.d.

Sur Ingres dessinateur: E. GALICHON ["GBA" 1861], G. DUPLESSIS [*Les portraits dessinés par J.-A.-D. Ingres*, Paris 1896], B. FORD ["BM" 1939, 1953], A. MONGAN et A. SACHS [*Drawings in the Fogg Museum of Art*, III, Harvard 1940: et H. NAEF, *Ingres Centennial Exhibition ... From American Collections*, Cambridge (Mass.) 1967], R. LONGA [*129 Reproductions de croquis à ... Montauban*, Paris 1942], P. LABROUCHE [*Les dessins d'Ingres*, Paris, 1950], A. MILLER [*The Drawings of Ingres*, Los Angeles-Londres 1955], H. NAEF ["AQ" 1957; "RA" 1968], D. TERNOIS [*Les dessins*

d'Ingres ... Montauban, "ICPF, 3" 1959], E. PANSU [*Ingres, dessins*, Paris 1977], PH. HATTIS [*Ingres's sculptural style, a group of unknown drawings* (catalogue), Cambridge (Mass.) 1977], H. NAEF [*Die Bildniszeichnungen von Ingres*, Berne 1977-80], A. ARIKHA [*Ingres. Dessins sur le vif* (catalogue), Dijon et Jérusalem 1981].

Sur des aspects plus particuliers, voir: A. MAGIMEL [*Œuvres de J. A. Ingres, gravées au trait sur acier par A. Réveil 1800-1850*, Paris 1851], THIEBAULT-SISSON [*Le paysage dans l'œuvre d'Ingres*, "T" 1912], W. DEONNA [*Ingres et l'imitation de l'antique*, Genève "PDA" 1921], M. DAUWEN ZABEL [*The Portrait Methods of Ingres*, "AAR" 1929], A. MONGAN [*Ingres and the Antique*, "JWCI" 1947], K. CLARK [*The Nude*, Londres 1956 (éd. française 1969)], N. SCHLENOFF [*Ingres, ses sources littéraires*, Paris 1956], H. TOUSSAINT [*Le Bain turc d'Ingres* (catalogue), Paris 1971], F. BAUDSON [*Le style troubadour* (catalogue), Bourg-en-Bresse 1971], K. CLARK [*The Romantic Rebellion*, Londres 1973], W. HOFFMANN [in *La peinture allemande à l'époque du romantisme* (catalogue), Paris 1976-77].

Abréviations

A: "Apollo"
AA: "Art in America"
AAR: "Art and Archaeology"
AB: "The Art Bulletin"
AD: "L'art décoratif"
AQ: "The Art Quarterly"
AT: "Atlantis"
BM: "The Burlington Magazine"
BMI: "Bulletin du Musée Ingres"
BSHAF: "Bulletin de la Société de l'Histoire de l'Art français"
"C" 1967: Catalogue de l'Exposition du Petit Palais, 1967-68
CA: "Creative Art"
CO: "Cosmopolis"
COR: "Le Correspondant"
CTG: "Courrier du Tarn-et-Garonne"
D: "Dedalo"
E: "Emporium"
F: "Le Figaro"

G: "Le Gaulois"
GBA: "Gazette des Beaux-Arts"
GL: "Le Globe"
ICPF: "Inventaire des collection publiques françaises"
JWCI: "Journal of the Warburg and Courtauld Institutes"
JWG: "The Journal of the Walters Art Gallery"
LA: "L'Artiste"
M: "Mercure de France"
MK: "Museen in Köln"
MSML: "Mémoires de la Société Académique du Maine-et-Loire"
NAAF: "Nouvelles Archives de l'Art français"
NKJ: ""Nederlandsch Kunsthistorisch Jaarboek"
O: "L'Œil"
OMD: "Old Master Drawings"
P: "Paragone"
PA: "Pantheon"
PDA: "Pages d'art"

PF: "Pausanias français"
R: "La Renaissance"
RA: "Revue de l'Art"
RAAM: "Revue de l'Art ancien et moderne"
RB: "Revue bleue"
RDA: "Revue des Arts"
RDM: "Revue des Deux-Mondes"
RF: "Revue de France"
RGM: "Recueil Gatteaux-Marville, 1875 (Paris, B. N.)"
RL: "Revue du Louvre"
RP: "Revue de Paris"
RSD: "Réunion des Sociétés des Beaux-Arts des Départements"
T: "Le Temps"
WE: "Werk"
ZK: Zeitschrift für Kunstwissenschaft"

L'abréviation "W" suivie d'un numéro renvoie au numéro du catalogue de G. Wildenstein, Londres 1954.

Chronologie

1780, 29 AOÛT. Naissance de Jean-Auguste-Dominique Ingres à Montauban (Tarn-et-Garonne). Il est baptisé le 14 septembre à l'église Saint-Jacques. Outre la musique et le chant, son père, Jean-Marie-Joseph, dit 'Ingres père' (Toulouse, 1755-1814) pratiquait tous les arts figuratifs: peinture, miniature, sculpture et même l'architecture. Il s'était établi à Montauban en 1775, comme sculpteur ornemaniste et devint rapidement l'artiste 'à tout faire' de la ville. En 1777, il avait épousé Anne Moulet, fille d'un maître-perruquier de la Cour des Aides, et il en eut cinq enfants dont Jean-Dominique était l'aîné.

1786. Le jeune garçon entre au collège des Frères des Ecoles chrétiennes et il y reçoit jusqu'à la dissolution de l'ordre (1791) une instruction limitée presque uniquement à la doctrine religieuse. Son père la complète cependant, l'amenant rapidement au dessin et à la musique et en particulier au violon: "j'ai été élevé dans le crayon rouge", dit Ingres [cité dans Silvestre], se rappelant que son père lui donnait à étudier et à copier, — selon l'usage de l'époque, — sa propre collection de "trois ou quatre cents estampes d'après Raphaël, le Titien, le Corrège, Rubens, Watteau et Boucher".

1789. C'est de cette année que date le premier dessin connu d'Ingres, fait d'après l'antique, et qu'il signera et datera lui-même plus tard.

1790. Son père est reçu à l'Académie des Arts de Toulouse.

1791. Jean entre à l'Académie de Toulouse comme élève du sculpteur J.-P. Vigan et surtout, du peintre G.-J. Roques, ancien élève de Vien à Rome, et dont la passion pour Raphaël aura des conséquences décisives sur son disciple.

1792, 19 AOÛT. Il reçoit de l'Académie de Toulouse le troisième prix dans la classe de la Figure et de la copie de l'Antique.

1793, 28 AOÛT. L'Académie lui confère le premier prix de Figure en ronde bosse.

1794. En dehors de l'Académie, il fréquente l'atelier du paysagiste J. Briant et à l'occasion de suivre l'organisation du musée des Augustins. Il prend en outre des leçons de perfectionnement musical avec Lejeune et, à quatorze ans, il est second violon de l'orchestre du Capitole.

1796. L'Ecole Centrale du département de Haute-Garonne (nouvelle désignation de l'Académie de Toulouse après l'abolition [8.VIII.1793] des anciennes institutions) lui décerne le deuxième prix d'Etude sur nature et le premier prix de composition. Il joue toujours dans l'orchestre du Capitole.

1797. Le 30 mars, il obtient le premier prix de dessin d'après nature accompagné de l'attestation que "ce jeune émule des arts honorera un jour sa patrie par la supériorité des talents qu'il est très près d'acquérir". En août, il part pour Paris (où étaient arrivées le 27 juillet les œuvres d'art confisquées en Italie) en compagnie du jeune Roques, fils de son maître. Il entre dans l'atelier de David.

1799. Il se révèle rapidement un des élèves les plus studieux de David; la "gravité" de son caractère l'isole des "folies turbulentes qui avaient lieu autour de lui" [Delécluze, *David*, 1855]. Le 24 octobre, il est admis aux cours de peinture que donne David à l'Ecole des Beaux-Arts.

1800. Le 2 février, il reçoit le premier prix de la classe de demi-figure ou "prix du torse". Il semble avoir exécuté les accessoires du célèbre portrait de *Madame Récamier* par David (Paris, Louvre). Il entre en loge le 1er avril pour le concours (voir le Catalogue, N. 4) du prix de Rome, et obtient, le 4 octobre, le second prix, le premier étant attribué à J.-P. Grangier, son condisciple chez David. Ainsi que plusieurs de ses camarades d'études, il est exempté par Bonaparte du service militaire.

1801. Le 20 mars il concourt de nouveau pour le prix de Rome (N. 7) et l'obtient (29 septembre) avec les *Ambassadeurs d'Agamemnon* (N. 11). De passage à Paris, le sculpteur et graveur J. Flaxman, célèbre alors dans toute l'Europe, déclare cette composition "préférable à tout ce qu'il avait jusqu'alors vu de l'Ecole française contemporaine". Le 17 décembre, Ingres est nommé membre correspondant de la Société des Sciences et Arts de Montauban.

1802. L'Etat n'est pas financièrement en mesure d'envoyer les lauréats à Rome; Ingres devra attendre ce départ pendant quatre ans. En compensation, il reçoit un des ateliers installés au couvent (désaffecté) des Capucines. Il y a pour voisins les peintres Gros, Girodet et Granet et le sculpteur Bartolini qui poseront pour lui. En septembre, il expose pour la première fois au Salon avec un portrait de femme (disparu).

1803. Il reçoit, avec Greuze, la commande du portrait de Bonaparte pour la ville de Liège (N. 16); les deux peintres vont chez le premier consul pour une brève séance de pose. Ingres reçoit également de l'Administration du Musée Central des Arts la commande d'un dessin d'après le *Jugement de Salomon* de Nicolas Poussin [Dorival, "BMI" 1969]

1804. Il peint le portrait de son père (N. 15) venu à Paris pour le voir.

1805. Chargé de peindre le portrait de Napoléon empereur (N. 37). Il exécute d'autres portraits dont ceux des Rivière (N. 22, 23, 24).

1806. En juin, fiançailles avec Julie Forestier, peintre et musicienne (voir N. 41). En septembre, expose au Salon le *Napoléon sur le trône impérial* (N. 37) et plusieurs portraits que la critique, David et Denon, déclarent inintelligibles et révolu-

83

Portraits d'Ingres. (En haut, de gauche à droite) A 14 ans, panneau attribué à J. Roques (Montauban, Musée Ingres). Vers 45 ans (la Légion d'Honneur à la boutonnière ne permet pas de dater le tableau avant 1825) dans un portrait attribué autrefois à Roques et maintenant à P. Balze (Montauban, Musée Ingres). Dessin par F.-J. Heim (1826; Paris, Louvre). Vers 55 ans, portrait par H. Flandrin (qui représenta aussi Ingres en pape dans la frise de l'église Saint-Vincent-de-Paul à Paris). (En bas, de gauche à droite) A 55 ans, dans un autoportrait (crayon, 229×219 mm; "Ingres à Ses Elèves / Rome 1835") conservé au Louvre (pour d'autres autoportraits voir N. 18, 153a et 161 du Catalogue). A 83 ans, dessin de Fantin-Latour (1863; The Art Institute of Chicago). Photographie d'Ingres âgé, par Disdéri. Ingres jouant du violon, dessin de P. Flandrin (Paris, collection particulière).

tionnaires tandis que le peintre Gérard le soutient. L'Etat peut enfin l'envoyer à Rome: du 2 au 9 octobre, il séjourne à Florence où il est surtout impressionné par les œuvres de Masaccio et où il dessine les portraits des parents de son ami Bartolini; arrivé à Rome le 11 octobre, il va à Ostie où il voit la mer pour la première fois et, le 26 décembre, Suvée, le directeur de la villa Médicis lui donne un atelier à San Gaetano, sur le Pincio. C'est de cette année que date une de ses plus célèbres œuvres: le portrait dit de la *Belle Zélie* (N. 38).

1807, 2 JUILLET. Rupture des fiançailles avec Julie Forestier. Il découvre Rome et en particulier les œuvres de Raphaël et de Michel-Ange au Vatican. Il peint la *Baigneuse à mi-corps* (N. 44).

1808. Il peint la *Dormeuse de Naples* et la *Baigneuse de Valpinçon* (N. 50, 57); il envoie (8 octobre) cette dernière et l'*Œdipe* (N. 51a) à Paris où ils sont jugés sévèrement.

1809. Murat, roi de Naples, achète la *Dormeuse.*
A Vienne, formation du groupe des Nazaréens avec qui Ingres aura des contacts.

1810. Fait le portrait de Marcotte d'Argenteuil (N. 60) avec qui il se lie d'une amitié affectueuse et durable, et celui de J.-D. Desdéban (N. 61). En novembre prend fin son séjour à la Villa Médicis, mais il décide de rester à Rome, — où entretemps sont arrivés les Nazaréens, — et il s'installe 40 via Gregoriana.

1811. Peint plusieurs portraits (N. 63, 64, 65, 66 etc.) et, le 17 septembre, est désigné pour collaborer (N. 68 et 76) à la décoration du Quirinal, future résidence romaine de l'Empereur (Cf. Ternois, "RA" 1970). En août, il expédie à Paris son dernier "envoi de Rome", *Jupiter et Thétis* (N. 67a) qui sera âprement critiqué.

1812. Prend un vaste atelier au couvent de la Trinité-des-Monts où il exécute entre autres le *Romulus vainqueur d'Acron* (N. 68). Le 11 décembre il écrit à ses parents pour leur demander

l'autorisation de se fiancer avec Laura Zoëga (N. 74 ?), fille d'un archéologue danois ami de Thorvaldsen; mais il rompt ces nouvelles fiançailles peu après.

1813. Le 7 août, il écrit à Madeleine Chapelle, — modiste à Guéret et cousine de Mme de Lauréal (voir N. 89) qui a mis les deux jeunes gens (âgés de trente-trois et trente-et-un ans) en relation épistolaire, — pour lui demander sa main. Le mariage est décidé. Madeleine arrive en septembre à Rome (la première rencontre a lieu via Cassia, près de la tombe de Néron) où les noces auront lieu le 4 décembre, à San Martino dei Monti. L'union sera très heureuse. C'est l'année du *Songe d'Ossian* et des *Fiançailles de Raphaël* (N. 77, 76).

1814. Le 14 mars, le père de l'artiste meurt à Montauban. Au printemps Ingres va à Naples pour faire le portrait de la reine Caroline et d'autres membres de la famille Murat (N. 78, 79). Au mois d'août, sa mère le rejoint à Rome mais son séjour est court. Cette même année, outre divers portraits dont celui de *Mme de Senonnes* (N. 93), il termine l'*Intérieur de la Chapelle Sixtine, Raphaël et la Fornarina, Paolo et Francesca* et la *Grande Odalisque* (N. 81a, 73b, 80d. 83a).

1815. Avec la chute de l'Empire et le départ de. Rome des fonctionnaires français, Ingres se trouve dans une situation financière difficile, d'autant plus que sa femme est malade à la suite d'une grossesse malheureuse. Pour y remédier, il peint en deux ans une "quantité immesurable", — comme il le note lui-même [dans L.], — des portraits "d'Anglais, de Français et de toutes les nations". Il en peint aussi quelques uns (N. 86, 87, 88, 91), et termine quelques compositions dont celles ayant trait à l'Arétin (N. 84a, 85a) qui, — selon une exégèse récente [Schlenoff], — pourraient constituer en tant que manifestation de la supériorité de l'artiste, une sorte de "compensation" freudienne aux difficultés de sa situation. Pressé par le besoin, il accepte à contre-

coeur la commande du duc d'Albe (N. 99) qu'il ne terminera d'ailleurs pas.

1817. Le 14 mars, à Montauban, mort de la mère d'Ingres. Peu après, grâce à l'intervention de Ch. Thévenin, directeur de la Villa Médicis, il obtient la commande du *Jésus remettant les clefs à saint Pierre* (N. 105a). Géricault de passage à Rome serait allé, paraît-il, lui rendre visite: mais les deux peintres n'étaient pas faits pour s'entendre. Le 10 novembre les Musées Royaux lui passent commande, ainsi qu'à Bergeret et Granger, d'un dessus-de-porte pour la Salle du Trône du palais de Versailles, dont le prix est fixé à 2 000 francs. D'abord libre, le sujet fut choisi ensuite dans l'histoire des empereurs romains (15 avril 1818). Bien que le paiement ait été effectué (novembre 1819), on ignore si l'artiste livra le tableau [Dorival, "BMI" 1969].

1818. Achève entre autres *Philippe V décore de la Toison d'or le maréchal de Berwick* (N. 98).

1819. En juin, Ingres rend visite à son ami Bartolini à Florence où il décide de s'installer. Le 25 août, inauguration à Pa-

ris du Salon: Ingres y est représenté par les œuvres citées plus haut, l'*Odalisque* et le *Maréchal de Berwick* ainsi que par *Roger et Angélique* (N. 100a); à sa grande amertume, les critiques sont toujours hostiles.

1820. Au cours de l'été, il emménage à Florence, d'abord chez son ami Bartolini, dont il fait le portrait (N. 104 a) puis via della Colonna n. 6550. Il prend un atelier via delle Belle Donne. Du 29 août date sa première commande officielle du nouveau régime: le *Vœu de Louis XIII* (N. 116a) pour la cathédrale de Montauban.

1821. Il achève, entre autres, le portrait de l'ambassadeur *Gouriev* (N. 107) et l'*Entrée de Charles V à Paris* (N. 108a).
Les Nazaréens ont entrepris la décoration de la Villa Massimi à Rome.

1822. Ingres achève la copie de la *Vénus d'Urbin* (N. 109).

1823, 27 DÉCEMBRE. Ingres est élu membre correspondant de l'Académie des Beaux-Arts de Paris et en est à la fois surpris et satisfait. Portraits des Leblanc (N. 110, 111).

1824. En octobre départ de Florence pour Paris. Il emporte avec lui le *Vœu de Louis XIII* (N. 1116a) qui, au Salon (12 novembre), s'oppose aux *Massacres de Scio* de Delacroix, et reçoit un accueil enthousiaste.

1825. A la clôture du Salon, le 15 janvier, Charles X décore Ingres de la croix de la Légion d'Honneur. Le 25 juin, il est élu avec dix-huit voix (contre dix-sept à Horace Vernet) membre de l'Académie des Beaux-Arts: il succède ainsi à Vivant Denon (que le peintre définissait son "anti-moi"). A l'arrivée de sa femme, le couple s'installe au 49 quai des Grands-Augustins; et le peintre prend un atelier dans l'actuelle rue Visconti. Les familiers en sont d'abord son élève Amaury-Duval, puis les frères Balze, Armand Cambon, Th. Chassériau, A. Desgoffe, H. Flandrin, V. Mottez, P. Chenavard, etc. L'atelier restera ouvert jusqu'en 1839, donc même après le départ d'Ingres pour Rome.

1826. Commande de l'*Apothéose d'Homère* (N. 121a) pour le Louvre. Du 12 au 22 novembre, séjour triomphal à Montauban pour l'accrochage du *Vœu* dans

la cathédrale. Pendant son voyage de retour, il s'arrête à Autun et étudie sur la porte Saint-André qu'il utilisera dans le *Saint-Symphorien* (N. 128a). Il termine les portraits de *Mme Marcotte de Sainte-Marie* et du *comte de Pastoret* (N. 118, 119).

1827. Un logement lui est donné à l'Institut ("quelle vie je mène ici!", écrit-il à Gilibert le 19 février: "délicieuse, il est vrai, puisque c'est celle de l'étude"). Au Salon, il expose diverses œuvres dont l'*Apothéose d'Homère* qui, répétant l'opposition de 1823, affronte la *Mort de Sardanaple* de Delacroix (Paris, Louvre): l'affrontement deviendra traditionnel.

1828. Signe et date *la Petite baigneuse* (N. 122a).

1829. Achève le *Charles X* (N. 123). Le 30 décembre (avec seize voix sur dix-sept) il est nommé professeur à l'Ecole des Beaux-Arts de Paris en remplacement de J.-B. Regnault.

1830. Pendant les émeutes de juillet, le 31, il participe avec Delacroix, Delaroche, Devéria et Etex à la protection des collections du Louvre: la tradition veut qu'Ingres ait veillé sur les peintures de l'école italienne et Delacroix sur celles de l'école flamande.

1832. Signe le portrait de *Bertin l'aîné* (N. 124). Obtient en décembre la vice-présidence de l'Ecole des Beaux-Arts pour l'année suivante.

1833. Participe au Salon (ouvert en mars) avec le portrait de *Bertin* et celui, déjà ancien, de *Mme Devauçay* (N. 45a); le 1er mai, reçoit la croix d'officier de la Légion d'Honneur. Durant l'été voyage en Bretagne et séjour au Croisic. Elu président de l'Ecole des Beaux-Arts pour 1834, en décembre.

1834. Présente le *Saint Symphorien* au Salon. L'accueil est froid et incite l'artiste à poser sa candidature à la succession de H. Vernet comme directeur de l'Académie de France à Rome. Le 5 juillet, il est nommé. Part pour l'Italie au début de décembre avec sa femme et son élève G. Lefrançois; visite Milan le 8, puis Bergame, Brescia, Vérone, Padoue, Venise (où il rencontre L. Robert) et Florence avant de se rendre à Rome. Il se tient désormais à l'écart des Salons.

Toile de B.-P. Debia (1832; Montauban, Musée Ingres) intitulée: Classiques et Romantiques; *certains éléments sont repris de l'Apothéose d'Homère (Catalogue, N. 121 a); au centre, vers la droite, Ingres indique le temple à un jeune disciple pour l'inciter à l'étude de l'antiquité. - (A droite) Détail d'un dessin de Régni représentant la foule des admirateurs devant le Vœu de Louis XIII (Catalogue, N. 116 a) au Salon de 1824.*

Peinture de J. Alaux ("Rome 1818"; Montauban, Musée Ingres) représentant Ingres, tenant son violon, avec sa première femme, dans l'atelier de la via Gregoriana où ils s'installèrent après le séjour à la Villa Médicis. — (Ci-dessus) L'instrument de l'artiste (ibid.).

1835. Arrivée à Rome le 4 janvier. Accueil chaleureux à la Villa Médicis où parmi les pensionnaires, il retrouve ses anciens élèves: H. Flandrin, E. Roger, P. Jourdy et le sculpteur P.-Ch. Simart; Amaury-Duval, Sigalon, Mottez, Lehmann, etc. ne tarderont pas à suivre le maître à Rome. Entre mai et juin, séjour à Sienne et à Orvieto avec son élève Lefrançois. Il se consacre surtout à l'organisation de la Villa Médicis, à sa restauration, à son administration: il crée une bibliothèque et un cours d'archéologie doté d'une collection de moulages de l'antique. Absorbé par sa charge, il peint peu pendant ce séjour romain.

1836. A la fin de l'année, le ministre de l'Intérieur, Thiers, arrive à Rome. Il propose à Ingres l'exécution des peintures murales de la Madeleine, à Paris: mais comme ce travail avait été déjà proposé à Delaroche, et que le peintre ressentait encore l'accueil hostile fait au *Saint Symphorien*, il refuse.

1837. L'épidémie de choléra qui sévit à Rome depuis 1835, s'intensifie; Sigalon en meurt et les hôtes de la Villa Médicis y sont cantonnés. La sérénité de leur directeur réconforte grandement les pensionnaires. Viollet-le-Duc et sa femme, de passage à Rome, rendent visite à Ingres.

1838. Chassériau rejoint son maître à Rome.

1839. En mai, voyage à Spolète, Spello et Ravenne. Ingres demeure très impressionné par les vestiges byzantins et paléochrétiens; il fait aussi un pèlerinage raphaélite à Urbin. Le peintre Hébert, cousin de Stendhal, l'architecte Lefuel, le médailleur Galle et le musicien Gounod arrivent à la Villa. A Rome séjournent aussi Sainte-Beuve et Liszt avec Marie d'Agoult. Ingres les rencontre et se lie plus spécialement avec Liszt et Madame d'Agoult. Il date l'*Odalisque à l'esclave* (N. 129b).

1840. Il termine ainsi que d'autres œuvres, *Antiochus et Stratonice* (N. 131a).

1841. Fin de son directorat; V. Schnetz est le nouveau directeur de la Villa Médicis. Ingres quitte Rome le 6 avril. Sa femme seule l'accompagne, Lefrançois s'étant noyé l'année précédente à Venise. Il s'arrête du 8 au 17 à Florence où il revoit Bartolini. Il visite Pise (le 28) et s'embarque à Livourne pour Marseille. Paris lui réserve un accueil triomphal: le marquis de Pastoret organise en son honneur un repas de quatre cent vingt-six convives, suivi d'un concert dirigé par Berlioz. Le roi Louis-Philippe l'invite à Versailles et le reçoit chez lui à Neuilly. Les commandes de portraits se multiplient.

1842. En mai il termine le portrait du prince héritier *Ferdinand-Philippe, duc d'Orléans* (N. 134a). Le 25 juin il signe la pétition pour le retour des cendres de David, mort en exil à Bruxelles (1825). La mort tragique du duc d'Orléans, le 13 juillet, lui vaut la commande de cartons pour les vitraux de la chapelle érigée à Paris [boulevard Pershing] à la mémoire du prince (N. 135).

1843, AOÛT. Ingres s'installe avec sa femme au château de Dampierre pour réaliser la décoration commandée quatre ans avant par le duc de Luynes (N. 144a, 145).

1844. Le conseil municipal de Montauban donne le nom d'Ingres (13 mai) à une des rues de la ville. Il exécute les cartons des vitraux pour la chapelle des Orléans à Dreux (N. 136). Portraits des époux *Cavé* (N. 137, 138).

1845. Le 24 août reçoit les insignes de commandeur de la Légion d'Honneur. Il date le portrait de la *comtesse d'Haussonville* (N. 139a).

1845-1847. Ingres chargé de la décoration peinte de l'église Saint-Vincent-de-Paul à Paris, nouvellement construite par Lepère et Hittorf, refuse de se soumettre aux exigences du programme et renonce à la commande, confiée ensuite à H. Flandrin et F. Picot [Ewals, "BMI" 1980; Horaist, "ibid"].

1846. Pour la première fois depuis 1834, il accepte de participer à une exposition publique à la Galerie des Beaux-Arts, 22 boulevard Bonne-Nouvelle. Il signe le portrait de *Mme Reiset* (N. 143).

1848. Date le portrait de la *baronne de Rothschild* (N. 147). En juin, il refuse de poser sa candidature à l'Assemblée constituante. A la fin d'octobre, devient avec Delacroix membre de la commission des Beaux-Arts; il lutte pour l'admission de tout artiste au Salon et pour la suppression du jury. Le 2 avril Ingres est nommé membre du Conseil Supérieur de Perfectionnement des Manufactures Nationales/Vaisse, "BSHAF" 1974.

1849. Nommé pour l'année à la vice-présidence de l'Ecole des Beaux-Arts. Démission le 17 mai de la Commission des Beaux-Arts. Gravement malade depuis le mois de mars, Mme Ingres meurt le 27 juillet; les Marcotte recueillent Ingres très éprouvé (septembre). Peu après, il va habiter 27 rue Jacob, ne supportant plus son appartement de l'Institut. Affligé par son deuil, malade des yeux, impressionné peut-être aussi par la révolution, il suspend les travaux de Dampierre et ralentit beaucoup son activité.

1850. Nomination à la présidence de l'Ecole des Beaux-Arts. Le 7 mars, il renonce définitivement à la décoration de Dampierre. Fin juin, il part en voyage en Normandie et à Jersey qu'il quitte aussitôt pour Avranches, Bayeux et Caen. Rentre à Paris le 18 juillet.

1851. Travaille aux deux portraits de *Mme Moitessier* et à celui de *Mme Gonse* (N. 148 et 156, 150). Le 15 juin, il assiste avec Gatteaux à l'inauguration de la statue de Poussin aux Andelys. En automne, il envoie à Montauban cinquante-quatre tableaux prélevés dans sa collection ou parmi ses œuvres personnelles, et des céramiques anciennes: ce sera le premier noyau de l'actuel Musée Ingres. Magimel commence la publication de l'œuvre du maître gravé par Réveil. Le 25 octobre, Ingres remet sa démission à l'Ecole des Beaux-Arts; il reçoit le titre de recteur avec une indemnité annuelle de 1.000 francs. Il termine *Jupiter et Antiope* (N. 149) et le portrait de *Mme Moitessier* debout (N. 148).

1852. Le 15 avril, à soixante-et-onze ans, il se remarie avec une parente de Marcotte, Delphine Ramel, de vingt ans sa cadette. Il achève le portrait de *Mme Gonse* (N. 150).

1853, 2 MARS. Reçoit la commande de l'*Apothéose de Napoléon Ier* pour un salon de l'Hôtel de Ville de Paris (N. 152a). En août, il achète une maison à Meung-sur-Loire. Il signe le portrait de la *princesse de Broglie* (N. 151).

1854. Au début de février, Napoléon III vient voir l'*Apothéose* achevée dans l'atelier du maître. Le 15 mai, inauguration de la salle Ingres à l'Hôtel de Ville de Montauban; c'est là que sont réunies les œuvres données en 1851: A. Cambon, l'ancien élève d'Ingres, a organisé la présentation. Ingres termine la *Jeanne d'Arc* (N. 153a).

1855. Quoique toujours absent au Salon, Ingres accepte qu'on organise une grande rétrospective personnelle à l'Exposition Universelle; il choisit lui-même les quarante-trois peintures qui seront exposées avec les cartons de vitraux. Un jeune admirateur insiste auprès de Valpinçon pour qu'il prête à l'exposition la *Baigneuse* de 1808: il s'agit de Degas qui va rendre visite au maître. En septembre séjour à Cannes chez E. Ramel, son beau-frère. Grâce à l'intervention du prince Napoléon (voir N. 154), il reçoit des mains de l'empereur (15 novembre) la croix de Grand Officier de la Légion d'Honneur.

1856. Delacroix est admis à l'Académie des Beaux-Arts; Ingres est indigné: "Aujourd'hui je veux rompre avec mon siècle, tant je le trouve ignorant, stupide et brutal" [dans L.]. Tandis qu'on répare son appartement, il s'installe en avril à Meung-sur-Loire où il termine différents travaux dont le portrait de *Mme Moitessier* assise, la *Source*, et la *Naissance de la dernière Muse* (N. 155a, 156a, 158).

1857. Signe le *Molière* (N. 159a).

1858. Il envoie à Florence, aux Uffizi, l'*Autoportrait à 78 ans* (N. 161a).

1859. Il peint un nouvel *Autoportrait* (N. 161b) et le portrait de sa femme (N. 162a).

1861. Au début de l'année, des amis du peintre organisent une exposition de quatre-vingt-douze de ses dessins au Salon des Arts Unis, 26 rue de Provence, à Paris. Léopold de Belgique lui achète *Homère et son guide* (N. 165a).

1862. En avril, exposition à Montauban de peintures et de dessins d'Ingres. Le 25 mai il est nommé sénateur. Le Ier juin, deux cent quinze artistes français lui offrent une médaille d'or. Le 8 septembre, lettre au président de l'Académie des Beaux-Arts en protestation contre la dispersion prévue de la collection Campana; en novembre, il écrit à l'Empereur pour renouveler sa protestation. Signe le *Jésus au milieu des docteurs* (N. 166a).

1863. Achève *le Bain turc* (N. 168). Le 14 juillet, A. Cambon lui remet une couronne d'or offerte par les habitants de Montauban.

1865, 3 JUILLET. Nommé membre de l'Académie des Beaux-Art d'Anvers, il envoie au musée d'Anvers son *Autoportrait* (N. 161c).

1866. Par son testament du 28 janvier, il lègue à sa ville natale plusieurs de ses tableaux, quatre mille dessins et des collections; legs aussi à A. Cambon, aux deux Balze, à Perrin et au graveur Calamatta; le reste va à sa femme.

1867. Le 8 janvier dessine un *Christ au tombeau* d'après Giotto. Le même jour, après une soirée musicale chez lui, 11 quai Voltaire, commence la brève maladie (pneumonie) dont il meurt le 14 à une heure du matin, muni des sacrements de l'église. Inhumation au Père-Lachaise le 17 janvier; son buste, sculpté en 1860 par Bonnassieux, est placé sur sa tombe. Le 8 février, la ville de Montauban décide la création du Musée Ingres. L'Ecole des Beaux-Arts de Paris organise une exposition de cinq cent-quatre-vingt-quatre peintures, esquisses et dessins.

1869. Inaguration du Musée Ingres à Montauban.

1911. Lapauze organise une grande exposition d'œuvres d'Ingres à la Galerie Georges Petit à Paris: les recettes sont destinées aux travaux de restauration du Musée de Montauban.

1967-68. A l'occasion du centenaire de sa mort, quatre expositions importantes lui sont dédiées: au Fogg Art Museum de Cambridge (Massachusetts) au Petit Palais, à Paris, au musée de Montauban, et à la Villa Médicis, à Rome.

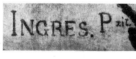

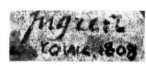

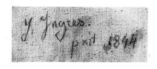

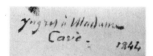

Signatures et autres inscriptions apposées par Ingres sur ses œuvres (elles correspondent, dans ce Catalogue, - de haut en bas, à gauche, - aux N. 10, 22, 37, 38, 50, 61 a, 83 a et, - à droite, - aux N. 65, 122 a, 133 a, 136 G, 137, 155 a).

Catalogue des œuvres

Liste chronologique et iconographique de toutes les peintures d'Ingres ou qui lui sont attribuées

L'explication des signes conventionels placés en tête de chaque notice est donnée p. 131.
Pour les notices du Catalogue *suivies d'un* **(C)** *voir p. 120* (Complément).

L'absence presque totale d'œuvres de la première jeunesse rend difficile à apprécier la portée de l'enseignement artistique qu'Ingres reçut de son père, puis de Joseph Roques (1756-1847), jusqu'à sa dix-huitième année; il se montra, certes, très reconnaissant vis à vis de l'un comme de l'autre, mais cette gratitude était peut-être une façon de minimiser l'importance des leçons de David (1748-1825) dont on ne peut, en tout cas, nier l'influence dans les plus anciennes œuvres documentées. D'un autre côté, il est clair que, vers 1805, Ingres, avec son *Aphrodite blessée* (N. 35), se montre chaud partisan de tendances néo-classiques différentes de celles de son maître parisien: le sculpteur et dessinateur anglais John Flaxman (1755-1826), collaborateur du céramiste Wedgwood, et le peintre allemand Johann Heinrich Tischbein (1751-1829), de qui le jeune artiste admire [Mongan "JWCI" 1947] le "sens" de l'Histoire, plus profond et plus réfléchi que celui, ardent mais superficiel, de David, sont ses pôles d'attraction. C'est en particulier aux gravures au trait de Thomas Piroli, d'après Flaxman, qu'Ingres a sans doute emprunté ce dessin fluide qui fait de lui le défenseur de l'idéal classique. C'est Flaxman qui stimule chez Ingres ce goût de pureté, de concision de la forme qui lui servira à exprimer le caractère héroïque de l'époque révolutionnaire, et bientôt impériale, qui avait baigné l'atmosphère de l'atelier de David. Les résultats ne le montrent cependant ni proche de ce dernier, ni sur les pas de Flaxman: on trouve, dans le *Napoléon Ier sur le trône impérial* (N. 37), — preuve de la culture figurative qui s'est développée en lui vers 1805, — moins une inclination pour l'esthétique gothique, alors en voie d'être redécouverte, qu'un intérêt évident pour le hiératisme byzantin, — intérêt que nul autre que lui à Paris ne devait partager à ce moment-là.

Sa rencontre avec l'œuvre de Flaxman le prédisposait en outre à apprécier les rythmes linéaires des maniéristes toscans et romains du XVIe siècle. Il dut certainement les étudier en Italie, tandis que prenait corps sa prédilection pour Raphaël, — plus connue et explicitement déclarée, ses copies en font foi, — ainsi que, il ne faut pas l'oublier, pour Michel-Ange et Masaccio, si bref qu'ait été son contact avec ce dernier lors de sa halte à Florence sur le chemin de Fome (1806). C'est Masaccio, justement, et les leçons qu'en avaient tirées eux-mêmes Raphaël et Michel-Ange (et qui n'échappèrent certainement pas à l'œil aigu du jeune artiste) qui expliquent certains aboutissements particulièrement étonnants auxquels parvint Ingres: anticipation manifeste d'archaïsme, par exemple, comme le *Virgile* (dans la version de Bruxelles [N. 70b] en particulier), et qui connut ultérieurement une belle fortune, de Puvis de Chavannes au Picasso de l'époque néo-classique.

Ce qui ne diminue pas pour autant l'importance primordiale de Raphaël dans le système d'Ingres; c'est à lui que le pensionnaire de la Villa Médicis prend la coordination des éléments de composition, fondée sur le triangle, caractéristique du peintre d'Urbin. Mais l'extrême minutie de son ordonnance des détails paraît venir des maniéristes, et de Bronzino plus que de Raphaël; c'est de Bronzino en particulier qu'Ingres tient son goût à traiter les nus féminins comme des "objets" d'une perfection absolue.

Son retour à Paris (1824) le place devant un fait nouveau: la peinture romantique; malgré lui, si l'on veut, et malgré l'antagonisme, à la fois réel et artificiel (parce que créé et soigneusement entretenu par la critique), qui l'oppose à Delacroix. Et ce n'est pas un pur hasard si les plus âpres reproches adressés au *Saint Symphorien* (N. 128a), en dépit de son éloquence marquée par Raphaël (ou, plus exactement, par Jules Romain, autre pôle d'attraction pour Ingres), lui vinrent du groupe néo-classique, tandis qu'il recueillait quelques suffrages romantiques.

La "fuite" en Italie qui s'ensuivit (second séjour à Rome 1835-41) comporte de nouvelles expériences, — évolution probable de ses prises de contact (dès 1820, probablement) avec les Nazaréens, — réalisées grâce à l'étude des antiquités chrétiennes et byzantines révélées par ses voyages à Sienne, Orvieto, Spolète, Ravenne. Plus encore que certains partis décoratifs adoptés pour les cartons des vitraux de Paris et de Dreux (N. 135. 136), ce sont les rythmes et la stylisation qui s'en dégagent, ainsi que de l'*Apothéose de Napoléon Ier* (1853; N. 152a), qui montrent comment se concrétisèrent ces tentatives. Rappelons à ce propos un mot d'Ingres. Un admirateur en extase devant les chevaux de l'*Apothéose* lui ayant demandé quels modèles l'avaient inspiré, il répondit: "Phidias et les chevaux d'omnibus" [Boyer d'Agen].

Telles sont les frontières, à la fois proches et lointaines l'une de l'autre, qui délimitent le monde d'Ingres: univers classique, certes, mais d'un classicisme "vécu", d'abord par la fréquentation assidue des poètes lyriques, d'Homère et de Virgile (si bien que, si le classicisme de David est sculptural et tend fermement à la grandeur épique, celui d'Ingres est cérébral et a des accents élégiaques; outre Raphaël, il admire Poussin), puis par l'étude attentive "d'après l'antique", enfin par la méditation, — une méditation pathétique, quasi religieuse. C'est la réalité profonde de ce sentiment qui donne à ses portraits cette humanité élégante mais authentique, à ses paysages cette vérité méditée mais palpitante, cette émotion sincère en somme devant la nature, même quand elle se résout dans la pureté de l'arabesque: la flamme, la sensualité (que l'on pense au *Bain turc* [N. 168a]) sont dépassées, et seule restent des images rigoureusement lucides.

La méthode adoptée pour l'établissement de ce catalogue des œuvres d'Ingres est analogique, et groupe donc dans une même notice des œuvres diverses liées par une communauté de sujet et d'élaboration. A la suite d'une œuvre déterminée se trouvent par conséquent énumérées les études peintes préliminaires, ou "premières pensées", ainsi que les répliques éventuelles, même lorsqu'elles sont très postérieures, et les variantes (ces différentes œuvres sont appelées, sous un même numéro, par des lettres minuscules; les majuscules sont réservées aux œuvres faisant partie d'une même série). Dans le cas précis d'Ingres, dont les thèmes, en nombre relativement restreint, sont parfois repris et developpés à un demi-siècle de distance, cette méthode ne permet pas de suivre une chronologie rigoureuse. Mais comme un même tableau fut quelquefois modifié au cours des années au point d'être profondément transformé et que le problème de sa datation reste en fait posé, l'ordre adopté ici ne complique guère une succession de faits bien loin d'être précise; cet ordre trouve par ailleurs sa justification car il fait apparaître un aspect caractéristique de l'artiste: Ingres, aux prises avec un problème de composition, se laisse absorber non par la nouveauté de la création mais par sa volonté de définir et de satisfaire ses propres exigences, en rationalisant et en épurant la forme.

Ce catalogue tient naturellement compte de ceux, — remarquables, — qui furent établis par Delaborde (1870), Lapauze (1911) et surtout G. Wildenstein (1954) [on trouvera, en tête de chaque notice et quand il y a lieu, le numéro de référence au catalogue Wildenstein]; leurs conclusions demeurent, en très grande partie, valides, d'autant que la tâche ardue de l'établissement d'un *corpus* avait été déjà commencée par Ingres lui-même dans ses *cahiers IX* et *X* (voir la *Bibliographie*). Le présent catalogue se proposant de rendre compte de la production picturale d'Ingres, l'accent a été mis sur les informations relatives aux peintures à l'huile, qui tendent naturellement à être aussi complètes que faire se peut dans les limites de ce volume; en ce qui concerne les aquarelles, qui occupent une place importante, mais non déterminante dans l'œuvre (Wildenstein, par exemple, s'est abstenu d'en parler), il a fallu se limiter à l'examen de celles qui ont joué un rôle important dans l'élaboration de certaines compositions (en tant que "témoins" d'une étape essentielle: soit comme "maillon" intermédiaire, soit comme variante indépendante), ainsi que de celles qui constituent en elles-mêmes le seul document qui nous soit parvenu de sujets envisagés par Ingres et non réalisés à l'huile. Il a enfin été rendu compte d'œuvres dont l'authenticité n'est pas unanimement admise, mais qui sont données à Ingres, spécialement lorsqu'elles font partie de collections publiques, ou quand l'attribution a été récemment faite ou reprise. En revanche, ne sont pas mentionnées les très nombreuses peintures dont l'authenticité était autrefois admise mais semble devoir être aujourd'hui définitivement rejetée.

L'activité graphique d'Ingres ne pouvant être traitée ici en tant que moyen d'expression autonome, voici quelques renseignements sur la méthode qu'il suivait pour peindre, — méthode où le dessin joue un rôle important. Méthode aussi qui, pour Ingres, commence nécessairement par le choix du thème: choix motivé le plus souvent par la lecture des auteurs classiques, et marqué par l'intension d'exalter la valeur de l'art au dessus de toute autre. Ainsi s'expliquent, par exemple, ses références à l'Arétin symbolisant la supériorité des Lettres sur la Politique (N. 84a) et de la Peinture sur les Lettres (N. 85a) [Schlenoff]. Une fois le sujet choisi, parfois après d'infinies hésitations et réflexions, Ingres entreprenait de longues recherches pour la composition générale, même dans le cas de simples portraits. Cette recherche impliquait des dizaines d'esquisses rapides qui aboutissaient quelquefois à des solutions très différentes des "premières pensées". Ayant déterminé le schéma complet, susceptible, — comme tous les autres éléments de l'œuvre, — de modifications ultérieures ou même postérieures à l'achèvement de la peinture (N. 70 a, 70b, etc.), Ingres en précisait les différents éléments, et c'est alors que pouvaient intervenir des suggestions à partir de peintures, statues, gravures, architectures de n'importe quelle époque. Ces suggestions extérieures, même suivies de façon très reconnaissable, étaient cependant patiemment assimilées et épurées par l'emploi de modèles vivants placés dans les mêmes attitudes que dans l'œuvre inspiratrice; nombre d'autres dessins en dérivaient, sans cesse plus "finis", sans compter les esquisses à l'huile. Pour les compositions historiques ou sacrées, Ingres procédait entretemps à la documentation: laborieuse jusqu'à la pédanterie, et poussée parfois jusqu'à la consultation d'architectes pour fixer la décoration des intérieurs ou les extérieurs des édifices, ou au recours à des moulages afin de reconstituer armures ou ornements à étudier en eux-mêmes ou placés sur les modèles. De nombreux dessins jalonnent aussi cette recherche, faite aussi bien pour l'étude d'une boucle ou d'un lien, sans pour autant négliger leur adaptation aux nécessités stylistiques. Les modèles vivants étudiés jusque là nus afin d'atteindre à une compréhension anatomique approfondie, pouvaient être alors "revêtus", d'autant que d'abondantes études dessinées avaient déjà été consacrées aux vêtements (David ne procédait pas autrement, suivant d'ailleurs une tradition académique remontant à la Renaissance italienne). Puis venaient les dessins d'ensemble: avec les figures nues; avec les mêmes, drapées, et dépouillées des données réelles, résultat impliquant des stylisations et autres adaptations; avec le décor précisé dans sa perspective essentielle; enfin avec le même décor enrichi de son ornementation (d'où la nécessité de dessiner certaines esquisses au trait tandis que d'autres devaient être soigneusement modelées).

L'exécution sur le support définitif débutait par le report des lignes perspectives directrices, puis par la délimitation du décor général qui était ensuite entièrement peint. Ce travail pouvait être confié à des assistants mais était toujours effectué sous la surveillance du maître. Sur ce fond les figures étaient alors dessinées nues; puis elles étaient teintées (dans certains cas cette phase est documentée avec précision), sans doute d'abord en camaïeu mais dans le ton des chairs: toutes les opérations effectuées au stade du dessin étaient donc recommencées, semble-t-il, au pinceau. Enfin intervenait la peinture des vêtements et autres accessoires, ultime phase du travail. Le dosage des huiles, vernis, etc. était en général très judicieux dans l'emploi des couleurs puisque, dans la plupart des cas, les œuvres d'Ingres nous sont parvenues en bon état de conservation.

1 ▦ ◔ 20×15,3

ORPHÉE. Montauban, collection particulière.

Assis sur un rocher, de profil à droite, tenant une lyre et appuyant sa tête laurée sur sa main gauche. Au verso du châssis: "Ingres" et "Montet-Gilibert". Peinture sur papier collé sur toile. Œuvre exposée à Montauban en 1862 (n. 552) avec la mention: Cette composition n'a jamais été exécutée", en 1877 (n. 65) et en 1955 (*Ingres et ses maîtres, de Roques à David*, n. 75); et publiée par M.-J. Ternois ["RDA" 1959]. Ce petit tableau n'a jamais quitté la famille de Gilibert, ami intime d'Ingres; il a été exposé sous son nom de son vivant par ses amis. L'allongement maniériste, fréquent dans les dessins d'Ingres exécutés à Toulouse ou à Paris entre 1791 et 1806 est encore visible dans le portrait de Mlles Harvey (voir le N. 28) et dans Ingres donna beaucoup de ses œuvres à son ami. C'est probablement la plus ancienne peinture d'Ingres connue. Non cité dans G. Wildenstein. **(C)**

2 ▦ ◔ *1800

CINCINNATUS REÇOIT LES DÉPUTÉS DU SÉNAT QUI LUI APPORTENT LE DÉCRET LE NOMMANT AU CONSULAT COMME IL ÉTAIT EN TRAIN DE LABOURER SON CHAMP.

[W. 1]. Œuvre exécutée pour le concours préliminaire du prix de Rome de 1800 selon les documents conservés aux archives de l'Ecole des Beaux-Arts de Paris (voir N. 4). Disparu.

3 ▦ ◔ 99×80 *1800

TORSE D'HOMME. Montauban, Musée Ingres.

[W. 5]. Cambon (Catalogue, 1864) l'a justement rapproché en raison de ses affinités iconographiques (avec la figure de Scipion) de la peinture détruite N. 4. Mais il peut avoir aussi une origine indépendante, comme étude académique. Au contraire, Lapauze, — réfuté par Momméja dès 1904, — identifie à tort ce nu avec celui primé en 1801 (voir le N. 6). Entré au musée avant 1851. peut-être par achat [Cambon].

4 ▦ ◔ 109,7×155 / 1800

ANTIOCHUS, INSTRUIT QUE SCIPION ÉTAIT MALADE À HELLÉ, LUI ENVOIE SON FILS FAIT PRISONNIER POUR GUÉRIR PAR LA JOIE LE MALAISE DU CORPS. EN EFFET, APRÈS

5

AVOIR TENU LONGTEMPS SON FILS EMBRASSÉ ET SATISFAIT SA TENDRESSE: "ALLEZ", DIT-IL AUX DÉPUTÉS D'ANTIOCHUS, "PORTER MES ACTIONS DE GRÂCE AU ROI".

[W. 2]. Détruit en 1871 par un incendie chez le collectionneur Gatteaux. Connu par la gravure de Normand et par la photographie ("RGM", Bibliothèque Nationale, Paris). Portait l'inscription: "J.A.D. Ingres pxit 1800. Mon premier tableau 2e grand prix de Rome", se référant au deuxième prix obtenu par cette peinture au concours pour le prix de Rome du 4 octobre 1800. (C)

5 ▦ ◔ 45×36,8 / 1800

PIERRE-FRANÇOIS BERNIER. Rochester, Memorial Art Gallery.

[W. 3]. Bernier, qui devint astronome, avait été le condisciple d'Ingres chez David. L'œuvre, mentionnée par le peintre dans ses *Cahiers IX* et *X*, appartint successivement au marchand Haro, au critique Lapauze et à des collectionneurs américains. N'était sa documentation certaine, il serait difficile de l'attribuer à Ingres d'autant que son état de conservation est médiocre.

6 ▦ ◔ 102×80 / 1800

TORSE D'HOMME. Paris, Ecole des Beaux-Arts.

[W. 4]. Peint en décembre 1800 à l'Ecole des Beaux-Arts; valut à Ingres (2 février 1801) le "premier prix dit du torse". Lapauze identifie à tort cette œuvre avec celle, de même sujet, conservée à Montauban (N. 3), beaucoup moins réussie d'ailleurs tant dans sa mise en page que dans son modelé.

7 ▦ ◔ — 1801

LES ADIEUX D'HECTOR ET D'ANDROMAQUE: HECTOR SUPPLIE JUPITER ET LES AUTRES DIEUX DE PROTÉGER SON FILS.

[W. 6]. Peint pour le concours préliminaire du prix de Rome (1801). On peut en rapprocher un dessin d'empreinte davidienne (353×510 mm.; "Par Ingres fils"; v. 1800) conservé à l'Ecole des Beaux-Arts à Paris. Disparu.

11 a

11 b

8 ▦ ◔ 79×56 / *1801

ACADÉMIE D'HOMME. Montauban, Musée Ingres.

[W. 10]. D'après Bouisset [1926], cette académie et la suivante (N. 9) auraient été achetées en 1875 pour le musée (100 francs chacune), l'une au peintre L. Combes (le second des deux prétendus homonymes, père et fils), l'autre chez ses héritiers. Peut avoir été utilisée pour le Patrocle du N. 11a [Ternois, Catalogue, 1965].

9 ▦ ◔ 78×56 / *1801

ACADÉMIE D'HOMME. Montauban, Musée Ingres.

[W. 11]. Très proche du N. 8 (à voir pour la provenance).

10 ▦ ◔ 97,5×80,5 / 1801

TORSE D'HOMME. Varsovie, Muzeum Narodowe.

[W. 9]. "Ingres 1801". Présenté au "prix du torse" de 1802 où il obtint le premier prix ex-aequo avec la composition de Thomassin, élève de Vincent. Par la suite, Ingres donnera la même attitude au personnage de Longin dans l'*Apothéose d'Homère* (N. 121a). C'est ce tableau, et non le N. 3 qui, sur la demande d'Ingres, fut prêté à l'école de dessin de Montauban où enseignait son père. Il ne fut pas restitué et passa dans la collection Leclerc de Montauban, puis chez Lachnicki à Varsovie, qui le légua en 1908 au musée Narodowe.

11 ▦ ◔ 110×155 / 1801

LES AMBASSADEURS D'AGAMEMNON ET DES PRINCIPAUX DE L'ARMÉE DES GRECS, PRÉCÉDÉS DES HÉRAUTS, ARRIVENT DANS LA TENTE D'ACHILLE POUR LE PRIER DE COMBATTRE. Paris, Ecole des Beaux-Arts.

a. [W. 7]. Signé et daté: "Ingres, 1801". Commencé le 30 mars 1801 en vue du concours pour le prix de Rome où il obtint le premier grand prix (29 septembre). Le thème est tiré de l'*Iliade* (IX); le jeune Ingres l'interpréta assez librement avec de nombreuses références à l'art antique très appréciées du jury: Achille dérive de l'*Apollon lyricine* 'Ludovisi' ou 'de Naples' (la cithare se retrouve sur un vase grec publié par d'Hancarville [*Antiquités ... de M. Hamilton*, 1766-67]); Patrocle dérive probablement d'un *Ganymède* du Vatican (gravé dans Visconti [*Museo Pio-Clementino*, II]); Ulysse, du pseudo *Phocion*, aussi au Vatican (la statue était alors à Paris' avec le reste du butin de la campagne d'Italie); Ajax, peut-être d'un *Ménélas portant le corps de Patrocle*; le mobilier témoigne dans les détails de la fidélité archéologique d'Ingres en dépit de quelques anachronismes dans l'ensemble. Tandis que les figures de droite restent des statues de marbre (le drapé d'Ulysse a cependant été étudié d'après un vrai tissu), le groupe opposé est au contraire rendu avec une sobriété efficace. Vers 1825, Ingres reprit le tableau pour y faire quelques retouches [Amaury-Duval, 1878].

b. [W. 8]. Esquisse du précédent (toile, 25×32; avec l'inscription: "Ingres 1801"; assez douteuse; Stockholm, Nationalmuseum).

12 ▦ ◔ *1802

PORTRAIT.

[W. 44]. Ingres note dans le *cahier IX* la copie d'un portrait faite pour David: on ignore si l'original était de David ou d'un autre peintre. Disparu.

*Citons à ce sujet un beau "Portrait de jeune homme" (toile, 61×50; Montauban, Musée

Portrait de jeune homme, *école française du début du XIXe siècle* (Montauban, Musée Ingres). Voir à ce sujet le N. 12.

3

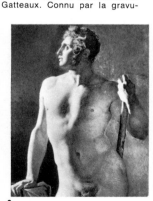

6

8

9

10

Ingres, legs G. Cambon [1916]) pour lequel Bouisset [Catalogue, 1926] a proposé le nom d'Ingres sans exclure celui de David; c'est en tout cas dans son entourage que son auteur serait à rechercher [Ternois, "ICPF, 11"]. Cambon tenait sans doute ce portrait de son frère Armand dont on connaît bien les relations avec Ingres.

13 *1802

PORTRAIT DE FEMME.

[W. 12]. Exposé au Salon de 1802 après lequel on en perd la trace. Ne doit pas être identifié selon W. comme l'a fait La-

16 [Pl. V-VI]

17

pauze avec le N. 14 qui lui est certainement postérieur.

14 29×23,5 1804

LA COMTESSE DE LA RUE. Zurich, Collection Bührle.

[W. 13]. "Ingres, An XII". L'historique de cette sorte de grande miniature est inconnue (voir N. 13) mais l'œuvre présente l'animation formelle désormais typique des portraits d'Ingres.

15 55×47 1804

PORTRAIT DU PÈRE DE L'ARTISTE (JOSEPH INGRES). Montauban, Musée Ingres.

[W. 16]. Exécuté pendant une visite de Joseph Ingres à son fils qui habitait alors Paris (voir la Chronologie, 1804); reproduit en miniature (disparue) par Joseph Ingres lui-même. Réveil en fit une gravure (1851) mais le personnage y est représenté assis, les genoux visibles: on peut donc penser que la gravure reproduire le portrait dans son format primitif, diminué de hauteur par la suite; mais Ternois ["ICPF, 11"] pense très vraisemblablement que cette gravure dérive plutôt d'une variante dessinée plus tard par Ingres comme dans le cas du N. 70b. L'œuvre, léguée (1867) par l'auteur à sa ville natale, porte encore l'empreinte du XVIIIᵉ siècle.

16 227×147 1804

NAPOLÉON BONAPARTE, PREMIER CONSUL. Liège, Musée des Beaux-Arts.

[W. 14]. "Ingres, an XII". Donné à la ville de Liège par Napoléon en souvenir de la signature du décret (2.8.1803) par lequel il accordait 300.000 francs pour la reconstruction du faubourg d'Amercœur bombardé par les Autrichiens en 1794. Revêtu du costume de velours porté en cette occasion, le premier consul a une main posée sur le décret cité ("Fau[bourg] d'Amercœur rebâti"); le rideau entrouvert laisse voir, au fond, l'ancienne cathédrale Saint-Lambert et la citadelle Sainte-Walburge. On sait que Bonaparte n'accorda à Ingres qu'une seule séance de pose très brève. L'artiste reçut 3.000 francs pour ce portrait.

17 41×33 1804

PORTRAIT D'HOMME. Montauban, Musée Ingres.

[W. 19]. "Moi, Ingres pinxit 1804". Wildenstein pense qu'il peut s'agir de "l'ami de Mesplet" ou du "jeune sculpteur" dont Ingres note (cahiers IX et X) avoir fait les portraits et dont on ne sait rien d'autre [W., 1954, n. 40 et 41]. L'œuvre a d'abord appartenu au peintre Ricard puis à H. Adam [W.].

18 77×61 1804-50*?

PORTRAIT DE L'ARTISTE À L'ÂGE DE VINGT-QUATRE ANS. Chantilly, Musée Condé.

a. [W. 17]. "Eff. J. A. Ingres Por Fit Pa[r]is 1804". On assimile en général ce portrait au tableau exposé au Salon de 1806 et qui différait de ce qu'il est aujourd'hui, — comme l'attestent une photographie de Marville et une copie exécutée par Julie Forestier; en effet, il

a été modifié longtemps après, avant 1851, date où Réveil le grava dans sa forme définitive. Si telle est bien l'origine, on peut noter, par comparaison avec la version originale, la disparition du bras gauche, levé pour effacer le portrait de Gilibert (N. 19) ébauché à la craie sur la toile; la couleur du manteau de l'artiste a été modifiée aussi. En somme Ingres a synthétisé la composition pour en éliminer toutes les lignes de dispersion et réaliser un accord chromatique très homogène. Le prince Napoléon échangea en 1860 le Bain turc (voir N. 168a) contre cette œuvre qui passa ensuite à Fr. Reiset, puis en 1879 entra dans la collection du duc d'Aumale. Il en existe une copie (ovale) d'A. Cambon (Montauban, Musée Ingres).

b. [W. 18]. Réplique du premier état (toile, 86,4×69,8; "Ingres 1 [?] 0 [?]"); resta dans l'atelier d'Ingres qui la retoucha à la fin de sa vie. L'exécution initiale serait d'un de ses élèves [Delaborde (1870) et Sterling (1966)]. A identifiier sans doute avec l'Ingres à vingt-deux ans [sic] exposé en 1885 à l'Ecole des Beaux-Arts de Paris [W.] et, après divers passages, légué par Mme Rogers au Metropolitan Museum (New York).

19 99×81 1804-05

JEAN-FRANÇOIS GILIBERT. Montauban, Musée Ingres.

[W. 15]. Le modèle (1783-1850) concitoyen d'Ingres et son ami fidèle, était avocat et peintre amateur. L'œuvre, — qu'en 1862 encore Ingres (lettre à Cambon) estimait être un de ses meilleurs portraits, — resta dans la famille de Gilibert, et une de ses petites-filles le légua (1937) au musée de Montauban. La facture, à larges touches transparentes, assez habituelle au groupe de David, donne à la toile une animation picturale exceptionnelle chez le maître; la composition révèle l'influence des maniéristes florentins du XVIᵉ siècle [Alazard].

18 a [Pl. I]

18 b

Photographie de Marville reproduisant le N. 18 a dans un premier état.

20 55×46 1805

PORTRAIT DE BELVÈZE-FOULON. Montauban, Musée Ingres.

[W. 20]. "Ingres 1805" (sur le dossier de la chaise, à gauche). Les Belvèze étaient une des familles les plus en vue de Montauban, mais aucun de ses membres ne semble avoir été spécialement lié avec Ingres. En 1844 le musée acheta (500 francs) le portrait aux Belvèze eux-mêmes.

21 64,8×54,5 1805

FRÉDÉRIC DESMARAIS. Toulouse, Musée des Augustins.

[W. 21]. "Ingres, 1805" (à gau-

che). Intitulé "le père Desmarets" par l'auteur lui-même; Lapauze identifia le modèle avec un graveur de ce nom, identification acceptée par Wildenstein. Ternois ["C" 1967] préfère à juste titre y reconnaître le peintre Desmarais, premier maître à Paris de Bartolini, l'ami d'Ingres (voir le N. 39). Parut à la vente Danlos (Paris, 1867); après divers changements de propriétaires fut confisqué pendant l'occupation allemande et destiné à la collection de Hitler; l'œuvre, après restitution, fut attribuée au Louvre qui, en 1952, la mit en dépôt au musée de Toulouse. Lapauze compare sa sobre intensité à celle des portraits d'Holbein. Selon Delaborde, Ingres l'aurait retouché à la fin de sa vie et aurait ajouté alors le manteau gris.

22 116×89 1805

MONSIEUR RIVIÈRE. Paris, Louvre.

[W. 22]. "Ingres, l'an XIII" (en bas, à gauche). Sur la table, avec les livres, une reproduction gravée de la Vierge à la chaise (Florence, Pitti) que l'on peut considérer comme un premier hommage à Raphaël (voir les N. 37 et 73). L'œuvre fut commandée en 1804-05, avec les deux suivantes, par Philibert Rivière, conseiller d'Etat. Exposé au Salon de 1806 avec les N. 23 et 24. Ces portraits ne suscitèrent alors guère d'intérêt, si ce

19

20

21

22 [Pl. II]

23

24 [Pl. III-IV]

25

26

n'est quelques critiques négatives (voir les N. 23 et 24). Ingres resta toujours attaché au souvenir des trois portraits Rivière bien qu'il ait perdus de vue. Ils ne reparurent en effet qu'en 1870 lorsqu'une descendante des Rivière (Mme Robillard), les légua au musée du Luxembourg d'où ils passèrent au Louvre en 1874. Les réserves des contemporains s'adressaient à la précision nette du dessin et de la facture d'où le modelé est presque absent: Ingres, s'inspirant en cela des maîtres du Quattrocento italien, manifestait ainsi son indépendance à l'égard de David. (C)

23 🏠 ⊕ 116,5×81,7 / 1805 ▤ ⋮

MADAME RIVIÈRE. Paris, Louvre.

[W. 23]. Pour l'historique, voir le N. 22. Le modèle était Marie-François Beauregard, épouse de Philibert Rivière. A sa réapparition en 1870, l'œuvre fut appelée "la femme au châle", dénomination suggérée par le châle des Indes dont les souples enroulements synthétisent l'arabesque heureuse de la composition et conclut son inscription dans l'ovale délimité par la bordure sur le rectangle de la toile; avec la tache sombre de la chevelure et des yeux et le bleu des coussins, ce châle concourt à la clarté pure de l'œuvre qui a permis de parler d'influence de l'art japonais cinquante ans avant la "découverte" de cet art par les peintres occidentaux [Amaury-Duval].

24 🏠 ⊕ 100×70 / 1805 ▤ ⋮

MADEMOISELLE RIVIÈRE. Paris, Louvre.

[W. 24]. "Ingres" (en bas, à droite). Pour l'historique, voir le N. 22. C'est celui des trois portraits Rivière qui, au Salon de 1806, valut le plus de critiques à son auteur accusé d'être "gothique". Tout en reconnaissant des imperfections à son œuvre, Ingres fut très sensible à ces attaques (lettre de Rome à Forestier, 23. 11. 1806). La même incompréhension accueillit l'œuvre à sa réapparition en 1870; si bien qu'après son entrée au Louvre (après un passage au Luxembourg jusqu'en 1874), elle fut laissée quelque temps dans les réserves. Les traits du modèle, morte à quinze ans l'année même de l'exécution de son portrait, ont été sans aucun doute stylisés par le peintre jusqu'à lui donner une "sensualité ambiguë": Lapauze en parlait comme d'une "figure au type de brebis". Pour sa part, Amaury-Duval considérait ce portrait comme inférieur aux deux autres.

Plus justement, Alazard rappelait à son sujet l'exemple des portraits florentins du XVᵉ siècle (évident aussi dans l'harmonie heureuse régnant entre la figure et le paysage limpide d'Ile-de-France), tandis que Schlenoff [1956] y voit plutôt une parenté directe avec le portrait de la *Comtesse Regnault de Saint-Jean-d'Angély* par Gérard (Paris, Louvre). Le portrait est

Dessin autographe (lavis d'encre de Chine et mine de plomb, 280×183 mm.; "Ingres 1804 Melles Harvey"; Paris, Louvre): voir le N. 28a.

reproduit ci-contre dans son intégralité tandis que dans la Pl. III, il est délimité par la bordure.

25 🏠 ⊕ 55×46 / 1800-06 ▤ ⋮

PORTRAIT DE COUDERC-GENTILLON. Paris, Collection particulière.

[W. 34]. Le modèle était concitoyen du peintre, architecte, et mourut probablement en 1828. L'œuvre est citée dans les *cahiers IX* et *X* d'Ingres; on sait

qu'elle appartint à H. Couderc de Montauban, puis au collectionneur Groult.

26 🏠 ⊕ 46×37 / 1805 ▤ ⋮

AUGUSTE-FRANÇOIS TALMA. Paris, Louvre.

[W. 38]. La signature est probablement: "Ingres". Lapauze interprétant mal une inscription placée sur le chassis, et vraisemblablement autographe ("Portrait d'un neveu de Talma"), pensait qu'il s'agissait du peintre L. Ducis, condisciple d'Ingres et époux d'une nièce du célèbre tragédien; le modèle était en réalité parent de ce dernier, et peintre. Officier de marine, il mourut en 1812 [Naef, dans Ternois, 1967]. L'œuvre resta dans la famille Talma jusqu'en 1827; après divers changements de propriétaires, elle parvint à la baronne Gourgaud qui la légua au Louvre avec d'autres tableaux qui y entrèrent en 1965.

27 🏠 ⊕ 1800-06? ▤ ⋮

FRANÇOIS-JOSEPH TALMA.

[W. 37]. Ingres mentionne un portrait du célèbre acteur dans son *cahier X*. A ne pas confondre [W.], comme le fait Delaborde, avec le N. 26. Disparu.

28 🏠 ⊕ 1800-06 ▤ ⋮

LES SŒURS HARVEY.

a. [W. 35]. Dans ses *cahiers IX* et *X*, Ingres mentionne une peinture représentant les deux jeunes anglaises. L'aînée était connue comme peintre sur ivoire et copiste réputé de tableaux célèbres. Disparu. Parmi les divers dessins qu'on en peut rapprocher, celui du Louvre, — fait souvent reproduit, — fait ressortir une affinité évidente avec les stylisations de Flaxman.

b. [W. 36]. Les *cahiers IX* et *X* mentionnent aussi une ébauche pour le portrait de "Mlle Harvey": elle pourrait peut-être avoir un rapport avec un dessin autographe (Rotterdam, Musée Boymans-van Beuningen) représentant une des deux sœurs, — Elizabeth sans doute, — dessinant assise.

29 🏠 ⊕ 1800-06 ▤ ⋮

PORTRAIT DE FEMME.

[W. 43]. Noté par Ingres dans ses *cahiers IX* et *X* avec son pendant probable (N. 30) représentant l'époux de la personne

portraiturée. Wildenstein remarque pertinemment que l'œuvre pourrait être identifiée avec d'autres connues de façon certaine, et en particulier avec le N. 38 que les *cahiers IX* et *X* ne citent pas.

30 🏠 ⊕ 1800-06 ▤ ⋮

PORTRAIT D'HOMME.

[W. 42]. Voir le N. 29.

31 🏠 ⊕ 1800-06 ▤ ⋮

TÊTE DE LA MADONE DE FOLIGNO.

[W. 29]. L'original de Raphaël, aujourd'hui à la Pinacoteca Vaticana, resta à Paris de 1797 à 1815 avec les autres œuvres d'art confisquées en Italie par Napoléon. La copie est mentionnées par Ingres dans ses *cahiers IX* et *X*. Disparu.

32 🏠 ⊕ 28×24 / 1800-06 ▤ ⋮

LA MADONE DE L'IMPANNATA. Paris, Collection particulière.

[W. 30]. L'original de Raphaël (Florence, Pitti), resta à Paris de 1797 à 1815 avec les prises de guerre napoléoniennes. La veuve de l'artiste, puis sa parente Madame Ramel, héritèrent de cette copie mentionnée dans les *cahiers IX* et *X*. Il est difficile de juger sur photographie de son degré d'achèvement.

33 🏠 ⊕ 80×64 / 1800-06? ▤ ⋮

LA MADONE MACKINTOSH. Montauban, Musée Ingres.

[W. 31]. Cambon, puis Momméja et Wildenstein pensent qu'il s'agit de la copie d'une peinture que Sébastien Bourdon avait lui-même faite d'après la Madone Mackintosh, maintenant à la National Gallery, Londres. Wildenstein date cette copie de 1806 environ. Bien qu'elle soit entrée au musée avec le legs d'Ingres (1867), Ternois ["ICPF, 11"] émet des doutes assez fondés sur son autographie.

34 🏠 ⊕ 46×37,8 / 1800-06 ▤ ⋮

ELIÉZER ET RÉBECCA. Marseille, Palais Longchamp.

[W. 32]. Copie partielle du tableau de Poussin (Louvre). En dépôt au musée de Marseille depuis 1872.

35 🏠 ⊕ 27×33 / 1805? ▤ ⋮

APHRODITE BLESSÉE PAR DIOMÈDE REMONTE À L'OLYMPE. Bâle, Kunstmuseum.

[W. 28]. "Ingres". Le sujet est tiré de l'*Iliade* (V) où Arès et Iris, figurés ici, comparaissent également; la stylisation formelle dérive de gravures au trait exécutées d'après Flaxman pour illustrer le poème d'Homère; la facture est très proche de celle de David. C'est probablement l'esquisse préparatoire d'une composition plus ambitieuse comme semblent l'indiquer divers dessins préparatoires, dont l'un a été gravé par Réveil. D'après Wildenstein, pourrait se situer vers 1806; la date que nous avons retenue est celle soutenue par Nora ["C", 1967]. L'œuvre appartint à Asseline jusqu'en 1850, puis, après différentes collections, au propriétaire actuel. (C)

36 🏠 ⊕ *1805 ▤ ⋮

MADAME BÉRANGER.

[W. 33]. Ce portrait est mentionné dans les *cahiers IX* et *X* d'Ingres comme ébauche poussée, à figure entière. Disparu. Ternois en voit un témoin possible ["ICPF, 3"] dans un dessin autographe (Montauban, Musée Ingres) représentant une figure féminine vue de dos; la signature "Ing" est accompagnée d'une inscription: "Mᵉ Beren ...; Madame Leclerc, rue de la Victoire" (cette mention de Madame Leclerc pourrait être aussi un indice, bien que vague, pour l'identification du modèle, in-

Dessin autographe (mine de plomb, 104×76 mm.; Montauban, Musée Ingres). Voir le N. 36.

connu jusqu'à présent, un Leclerc de Montauban ayant été propriétaire du tableau N. 10).

37 260×163 1806

NAPOLÉON Ier SUR LE TRÔNE IMPÉRIAL. Paris, Musée de l'Armée (dépôt du Louvre).

[W. 27]. "INGRES, Pxit / ANNO 1806" (en bas, aux deux extrémités de la marche). L'empereur est représenté avec le sceptre de Charles V, la main de justice et l'épée dites de Charlemagne, tous trois actuellement au Louvre. Les médaillons de la bordure du tapis sont ornés des signes du Zodiaque, sauf le premier à gauche où est figurée la *Vierge à la chaise*

37 [Pl. XV]

38 [Pl. XII]

39

40

(Florence, Pitti): hommage à Raphaël analogue à ceux des N. 22 et 73 et qui ne manque pas d'une certaine saveur. L'œuvre, commandée par le corps législatif, fut exposée au Salon de 1806. De toutes les critiques émises, — la plupart concernaient la pâleur lunaire du visage, le manque d'élégance de la pose, la bizarrerie et surtout le côté désagréable de l'ensemble, — celle de Chaussard ["PF" 1806], accusant Ingres de ressusciter quatre siècles plus tard la manière de Jan van Eyck, fut la plus désagréable au peintre. On comprend mieux à la rigueur, la réflexion, — ironique (?), — de Gérard [in Naef, "BMI" 1965] disant qu'on n'avait rien vu de plus beau après la statue de bois sculpté, attribuée à saint Luc, représentant la *Vierge et L'Enfant* et provenant de la Santa Casa de Loreto (cette statue faisait alors partie du butin napoléonien exposé à Paris. Elle a été détruite par le feu à Loreto en 1921). En réalité le *Napoléon Ier* n'est pas d'inspiration "gothique" — comme le lui reprochaient les critiques du Salon, — mais bien plutôt byzantine: un calque autographe (Montauban, Musée Ingres), d'après la gravure d'un diptyque byzantin et représentant un empereur d'Orient assis sur un trône entre ses deux fils, en est la preuve [Ternois, "C" 1967]. L'imperturbabilité du portrait est presque abstraite et ce caractère est encore accentué par la précision de tous les détails bien qu'une lumière froide, immobile, comme celle des maniéristes toscans, les coordonne et les vivifie en leur donnant une rigueur formelle; elle les adoucit parfois aussi, comme par exemple l'aigle du tapis, d'une densité picturale extraordinaire, au premier plan. Foucart ["C", 1967] a précisé l'historique de l'œuvre: transférée au Louvre, probablement en 1815, elle est depuis 1832 en dépot aux Invalides. En 1879, des restaurations étaient déjà nécessaires et furent probablement effectuées; celles qui viennent d'être faites ont rendu à la toile tout son éclat d'origine.

38 59×49 1806

MADAME AYMON, DITE LA BELLE ZÉLIE. Rouen, Musée des Beaux-Arts.

[W. 25]. "Ingres, 1806" (en bas, à gauche). Toile ovale. On ne sait qui était Madame Aymon, le tableau n'étant pas répertorié ou en tout cas pas identifiable dans les *cahiers* d'Ingres (voir le N. 29). Exécutée à Paris, l'œuvre ne reparut qu'en 1857 à la vente Marcille où J. Reiset l'acquit. A la vente Reiset (Paris, 1870) elle devint la propriété de Féral-Cussac qui la céda la même année au musée de Rouen pour 2 500 F. C'est alors qu'elle fut surnommée "La belle Zélie", refrain d'une chanson en vogue à l'époque. Comme dans le portrait de *Mademoiselle Rivière* (N. 24), les traits semblent géométriques; mais ici la palette vive, d'une franchise agressive avec ses noirs et ses vermillons, est tout à fait différente.

39 98×80 1806

LORENZO BARTOLINI. Montauban, Musée Ingres.

[W. 26]. "J. Ingres, pinxit 1806" (en bas, à gauche); "Laurenzo Bartolini Sculptor Florentinus - Anno XIII" (en haut, à droite). Le modèle (1777-1850), qui sera un des représentants de la sculpture néoclassique italienne, condisciple d'Ingres à l'atelier de David à Paris, y devint son ami. Il est représenté ayant en main une tête antique de Jupiter. C'est Bartolini qui fit connaître à Ingres la peinture toscane du XVe siècle; mais il dut aussi lui faire connaître les maniéristes du XVIe siècle comme le prouve l'élégance désinvolte de ce portrait, frère, bien qu'un peu plus fini, de celui de Gilibert (N. 19), autre ami intime d'Ingres. D'abord propriété du modèle, la toile passa de

41

diverses collections particulières à celle de H. Lapauze qui la légua (1925) au Musée de Montauban, sous réserve d'usufruit en faveur de son épouse (voir le N. 104). (**C**)

40 56×46 *1805*

LE BARON JOSEPH VIALÈTES DE MORTARIEU. ... (France), Collection particulière.

[W. 39]. "Ingres". Le modèle fut maire de Montauban de 1806 à 1815. Ce portrait resta chez ses descendants jusqu'en 1905. Bien qu'analogue à celle du N. 25, la mise en page est vivifiée par les forts contrastes de couleurs et par le motif romantique du ciel nuageux, motif que le peintre reprendra peu après dans d'autres portraits remarquables.

41 17×17,5 1806*

L'ORANGERIE DE LA VILLA BORGHESE. Montauban, Musée Ingres.

[W. 46]. Malgré la désignation du sujet différente, mais explicable, ce paysage et son pendant (N. 42) peuvent être identifié avec les "deux petites vues" qu'Ingres envoyait de Rome, le 12 janvier 1807, au père de sa fiancée Julie Forestier. Il priait cette dernière d'en faire des copies à envoyer à Monsieur Ingres père (il ressort d'autres lettres que le père de l'artiste reçut bien ces copies mais il n'en subsiste aucune trace). A la rupture des fiançailles, Julie rendit les originaux à Ingres [L.] qui les légua (1867) au musée de Montauban. On a souvent remarqué que la qualité de ces deux paysages (celle du N. 42, surtout) est inférieure à celle du N. 43, ce que justifierait la note [Catalogue, 1885] selon laquelle ces deux peintures auraient été retouchées par A. Desgoffe (après 1828) sous la direction d'Ingres lui-même (voir le N. 43).

42 17×17,5 1806*

LE CASINO DE L'AURORE DE LA VILLA LUDOVISI. Montauban, Musée Ingres.

[W. 47]. Intitulé parfois "*Le belvédère de la Villa Borghese*" (Voir le N. 41).

43 diam. 16 *1807

LE CASIN DE RAPHAËL. Paris, Musée des Arts Décoratifs.

[W. 50]. L'édifice, détruit en 1849, était situé dans le parc de la Villa Borghese; Ingres l'a peint vu des jardins de la Villa Médicis. Sa qualité, supérieure à celle des deux tondi analogues, rend encore plus probable l'intervention de Desgoffe

42 [Pl. X B]

dans ces deux derniers (voir le N. 41). Ingres le donna à l'architecte M.-J. Heurtault (mort en 1824) et Madame Heurtault le donna au peintre P.-M. Delafontaine dont un descendant le légua au musée des Arts Décoratifs (1933). Bien qu'il ait été parfois daté de 1805, il a certainement été exécuté après octobre 1806, date de l'arrivée d'Ingres à Rome (voir la *Chronologie*).

44 51×42 1807

LA BAIGNEUSE À MI-CORPS. Bayonne, Musée Bonnat.

[W. 45]. "Ingres Pinxit Roma 1807". Toile marouflée sur bois. Collection De Fresne (ou Defrenne) et ensuite collection

45 a [Pl. IX]

Bonnat. On y voit généralement une étude préparatoire au N. 50, le rapport iconographique est d'ailleurs évident; sur le plan formel au contraire, il devait s'agir d'un projet différent fondé sur le rendu fortement stylisé du sein. Utilisé de nouveau dans le N. 83a, c'est un demi-siècle plus tard, dans le N. 168a, qu'il devait finir par se combiner avec le "motif" du N. 50. Ce qui à peu de mois d'intervalle relie en réalité les deux œuvres, est le point de départ dans la *Baigneuse* de Bayonne, d'une synthèse qui trouvera dans la *Baigneuse de Valpinçon* (N. 50) une première réalisation.

45 76×59 1807

MADAME DUVAUÇAY. Chantilly, Musée Condé.

a. [W. 48]. "J. Ingres Rom. 1807" (en bas, à droite, sur le châle). Le modèle était la maîtresse d'Alquier, ambassadeur de France près le Saint-Siège. L'œuvre aurait été exécutée aux environs de Rome, dans les Apennins. De chez Madame Duvauçay, elle passa chez Fr. Reiset dont la collection fut acquise (1879) par le duc d'Aumale. Sa structure complexe mais épurée par la mise en page savante jouant sur une gamme de couleurs réduite et très nettement rythmée. Exposée au Salon de 1833 avec *Monsieur Ber-*

43 [Pl. X A]

tin (N. 124): la critique relevait déjà alors ce qui séparait les deux œuvres et indiquait, dans le portrait de Mme Duvauçay, l'influence de l'art italien. (**C**)

b. [W. 49]. Ingres en fit probablement une réplique réduite (toile, 29×22,8) pour Scheffer; en tout cas il lui en donna une lui-même ("Pinxit Ingres à Ary Scheffer"). Acquise par Bonnat après divers changements de propriétaires et entrée avec son legs au musée de Bayonne.

46 72×61 *1807*

FRANÇOIS-MARIUS GRANET. Aix-en-Provence, Musée Granet.

[W. 51]. "J. A. Ingres" (en bas, à droite). Le modèle (1775-1849),

45 b

bien connu comme paysagiste, était le condisciple d'Ingres chez David; ils se retrouvèrent ensuite à Rome. Au fond de la toile, vue du parc et du Palais du Quirinal (et non de la Villa Médicis comme on l'indique parfois). Granet légua son portrait (1849) à Aix, sa ville natale. C'est un des chefs-d'œuvre d'Ingres portraitiste. Sa force chromatique remarquable et d'un romantisme suggestif fait ressortir les contrastes entre la densité veloutée du costume et la lumière orageuse du paysage, entre la fermeté ardente du visage et l'obscurité du ciel. Repentir à droite du col blanc.

44 [Pl. XI]

46 [Pl. VIII]

48

50 [Pl. XIII-XIV]

47 ⊞ ⊘ 244×212 *1807? ▤ :

MERCURE. Paris, Ecole des Beaux-Arts.

[W. 68]. Copie "de même grandeur que l'original" d'une figure exécutée par les assistants de Raphaël, et sous sa direction, à la Farnésine à Rome. Ingres l'envoya à l'Académie des Beaux-Arts (qui l'accueillit froidement: "un peu de sécheresse dans les contours") au début de son séjour (1811? Cf. l'article de G. et J. Lacambre, "RL" 1967) à la Villa Médicis. Resta en dépôt au musée de Marseille de 1819 à 1874, et alors échangé contre le N. 34. **(C)**

48 ⊞ ⊘ 57×42 ▤ :

TÊTES D'UNE MÈRE ET DE SES DEUX ENFANTS. Montauban, Musée Ingres.

[W. 67]. Copie du groupe, en bas, à gauche, dans la *Messe de Bolsena* de Raphaël (Chambre d'Héliodore, au Vatican); legs Ingres (1867). Considéré généralement comme autographe et datable vers 1806-07 [Cambon-Momméja; W.], mais Ternois ["ICPF, 11"] n'y reconnaît pas la main d'Ingres. Etant donné la provenance de l'œuvre et l'utilisation inversée de ce groupe de têtes dans les N. 128a et h, on peut penser qu'il s'agit d'un exercice d'élève demandé par Ingres et qu'il aurait gardé chez lui.

49 ⊞ ⊘ *1808 ▤ :

ETUDE D'HOMME HISTORIÉE.

[W. 64]. Cité ("étude d'homme historiée") par Guillon-Lethière [in W.] parmi les œuvres exécutées par Ingres à la Villa Médicis. Lapauze propose de l'identifier avec un des portraits faits à cette époque; on peut penser peut-être au tableau N. 52 ou à un similaire. C'est, en somme, une académie.

50 ⊞ ⊘ 146×97,5 1808 ▤ :

LA BAIGNEUSE DITE DE VALPINÇON (LA GRANDE BAIGNEUSE). Paris, Louvre.

[W. 53]. "Ingres, Rome 1808" (en bas, à gauche). Constitua avec le N. 51 "l'envoi de Rome" de 1808. Le tableau fut exposé à Paris sous le titre de "Femme assise"; si le jury sut en apprécier particulièrement la finesse et la vérité du dessin [Ménageot in L.], il n'en regretta pas moins que l'éclairage ne fût pas plus précis [Id.]. C'est au contraire cette lumière qui convainquit Delécuze [1855] quand il vit la toile à l'Exposition de 1855. Perrier ["LA" 1855] admira également la richesse aérée du coloris que les Goncourt [1855] déclaraient digne de Rembrandt; malgré "les pieds gonflés" (mais d'ailleurs "par la moiteur du bain"!), l'œuvre plut aussi à Silvestre [1855], puis à Blanc ["GBA" 1868] bien qu'il fût réticent sur la validité d'un nu où "les nuances de la peau sont passées sous silence". Mais c'est bien dans la magnifique synthèse des formes et de la lumière que réside justement le résultat le plus précieux du tableau, ou mieux encore, la réalisation achevée de l'expression stylistique qu'anticipait le N. 44. La différence entre les deux œuvres, qu'a accentué le temps, frappa Amaury-Duval dès 1825; Ingres l'expliqua au critique par sa connaissance plus approfondie de l'art italien qui l'avait amené à recommencer sa formation artistique personnelle ("... j'ai dû refaire mon éducation"). Ce sont en réalité les Florentins de la Renaissance qui conditionnèrent ces nouveaux résultats et s'il ne s'agit pas proprement ici, comme le suggère Tinti ["D" 1923-24], d'une dérivation d'un dessin de Bronzino (alors dans la collection Loeser, Florence) on retrouve certainement une affinité générale avec le premier maniérisme toscan. Amaury-Duval indique pourtant une

source directe de cette Baigneuse dans le *Coucher à l'italienne* de Jacob van Loo (Lyon, Musée des Beaux-Arts) dont Ingres connaissait la gravure par Porporati.

Vendue au général Rapp par l'intermédiaire du peintre Gérard, l'œuvre resta chez lui jusqu'en 1822; acquise ensuite (400 francs) par Valpinçon (d'où lui vient sa dénomination); puis par I. Pereire à qui le Louvre l'acheta en 1879 (60.000 francs).

Un dessin préparatoire est au musée de Montauban: un personnage assis à côté de la baigneuse lui tient la main. D'autres dessins ultérieurs sont des copies d'école, tandis qu'une aquarelle datée 1864 (Bayonne, Musée Bonnat) avec la Baigneuse et plusieurs autres figures est déjà postérieure au N. 122a et annonce le N. 168a, aboutissement d'une série remarquable de variations sur la *Baigneuse de Valpinçon*. L'aquarelle (v. 1862 - 232×228 mm), autrefois propriété de Madame Ramel, puis de G. L. Winthrop (1929) qui la légua au Fogg Art Museum de Cambridge (Massachusetts), est au contraire une réplique exacte, due probablement à un élève.

51 ⊞ ⊘ 189×144 1808-25* ▤ :

ŒDIPE ET LE SPHINX. Paris, Louvre.

a. [W. 60]. "I. INGRES PINGEBAT 1808" (sur la pierre, en bas, à gauche). En 1809 constitua avec le N. 50, "l'envoi de Rome" de l'artiste. P. Jamot ["RAAM" 1920] a montré qu'Ingres avait agrandi la toile (adjonction d'une bande de 31 cm. à droite, d'une de 20 cm. à gauche et d'une de 31 cm. en haut) peu avant de l'exposer au Salon de 1827: d'une simple "académie" il fit ainsi la puissante composition que l'on connaît. Selon Amaury-Duval le peintre améliora l'attitude du sphinx et introduisit, à droite, le personnage qui s'enfuit épouvanté et

52

53 a

53 b

51 a [Pl. VII]

51 b

51 c

dont Ingres lui-même disait qu'il était "poussinesque": il dérive en effet de la théorie des "passions" de Poussin. Des hypothèses nombreuses (plus ou moins convaincantes) ont été avancées quant à l'origine du nu principal. La source la plus probable en pourrait être un vase grec découvert à Capoue et publié comme "étrusque" par Tischbein ["RDM" 1846], ou encore une hydrie signée de Meidias (Londres, British Museum) [Polak, NKJ" 1948-49]. En bas, à gauche, un pied coupé et des ossements évocateurs des victimes du sphinx: détail assez curieux chez un peintre qui interdira plus tard à ses élèves

l'utilisation du squelette, objet qu'il jugeait repoussant [Ternois, "C", 1967]. A noter aussi la fureur d'Ingres quand son condisciple Granger le félicita, sans doute ironiquement, d'avoir "idéalisé" le modèle, bien connu dans les ateliers romains, qui avait posé pour l'Œdipe: car Ingres prétendait être avant tout un "copiste" fidèle de la réalité. C'est pourtant bien à la stylisation des formes synthétisées de façon si directe et grâce aussi à la fermeté de sa facture que cette peinture peut être rangée parmi les meilleures œuvres du maître. C'est aussi ce

qui la distingue du "genre gréco-fleuri" [Lagenevais, 1846] des autres néo-classiques de l'époque.

Vendue par Ingres en 1829, l'œuvre fut acquise en 1839 par le duc d'Orléans; à la vente de la collection de la duchesse d'Orléans en 1853, elle fut acquise par Tanneguy-Duchâtel et entra au Louvre avec le legs Duchâtel en 1878.

b. [W. 61]. Une réduction, comportant des variantes dans le fond (toile, 178×137; "Ingres"), antérieure probablement à 1828 (année où elle serait passée par la vente Didot à Paris; puis collections Henry, Camus, Des-

champs, Duchamp, La Béraudière, Féral) a été achetée par la National Gallery de Londres à la vente Degas en 1918, Paris.

Une variante d'école (1829; 160×95) est conservée au Musée d'Angers.

c. [W. 315]. Une autre répétition mais inversée (toile, 105×87; "J. Ingres P.bat Aetatis LXXXIII, 1864") commencée à Paris vers 1835, et terminée à Meung-sur-Loire [W.] pour E. Pereire a été achetée, après être passée par quelques collections intermédiaires, par H. Walters (1943) pour la Walters Art Gallery de Baltimore.

52 ⊞ ⊘ 70×55 *1808? ▤ :

VIEILLARD ASSIS. Aix-en-Provence, Musée Granet.

[W. 52]. Appartint au peintre Granet qui le légua (1849) au musée. Etude probable pour une composition d'histoire; pourrait être aussi [Ternois, "C" 1967] la "figure d'homme historiée" mentionnée par Guillon-Lethière comme "envoi de Rome" en 1808 [in Lacambre, "RL" 1967]. A noter en tout cas la stylisation hardie, spécialement de la barbe et du drapé sur la tête, qui atteint à une synthèse aiguë d'un très grand modernisme.

53 ⊞ ⊘ 33×24 *1808 ▤ :

PROFIL D'HOMME BARBU. Aix-en-Provence, Musée Granet.

a. [W. 63]. Probablement utilisé pour la figure d'Œdipe dans la peinture N. 51a [W.], ou encore pour une "première pensée" du Jupiter du N. 67a (cf. N. 67c).

Légué en 1849 par Granet au musée d'Aix-en-Provence.

b. [W. 62]. Le même profil, mais sans la coiffure classique, réapparaît dans une toile (35×26; "Ingres"; Paris, collection particulière) ayant anciennement appartenu au marchand Haro puis à Degas .

54 ⊞ ✺ 36,8×28 *1810*? ▤ ⦂

TÊTE D'HOMME BARBU. Paris, Collection particulière.

[W. 111]. Toile marouflée sur bois. Publiée par Wildenstein qui la date vers 1816. Le modèle semble être le même que celui du N. 53a: cet indice précaire pourrait permettre d'anticiper la date de quelques années. Ne paraît pas en bonnes conditions d'après la photographie.

55 ⊞ ✺ 32×22,8 ▤ ⦂

FILEUSE (LA FILEUSE DE PARME [DE PALERME]; PAYSANNE DE SALERNE). Newton (Connecticut), Collection H. Schnackenberg.

[W. 59]. Parut à la vente Coutan (Paris, 1889) puis à la vente Chéramy (Id., 1908); appartint ensuite à J. Reinach et à L. Vauxcelles. Considérée comme authentique par Meier Graefe et Klossowski [Collection Chéramy, n. 87], ainsi que par Wildenstein qui propose de l'identifier avec une petite étude de figure féminine mentionnée par Ingres dans le cahier X, et qui pourrait dater du premier séjour à Rome (v. 1806). La reproduction photographique ne permet pas un jugement sûr, mais il semble impossible d'y voir un original d'Ingres.

56 ⊞ ✺ 59×39 ▤ ⦂

TÊTE DE VIEILLARD.

[W. 112]. Les dimensions ne permettent pas de l'identifier avec une œuvre connue. On sait seulement qu'elle passa par la vente Ingres (Paris, 1867). Wildenstein la date de 1816 environ mais sans préciser pourquoi.

57 ⊞ ✺ 91×162 (?) *1808* ▤ ⦂

FEMME NUE DORMANT, DITE LA DORMEUSE DE NAPLES.

a. [W. 54]. Exécutée pour Caroline Murat, reine de Naples, et sans doute détruite en 1815 à la chûte de la dynastie napoléonienne. La Grande Odalisque (N. 83a) aurait dû être son pendant: on en a déduit que l'œuvre devait avoir les mêmes dimensions que le N. 83a. Ingres reprit ce thème dans diverses compositions en dehors de celles mentionnées ci-dessous; en particulier dans ses tableaux d'odalisques (N. 129a etc.) et surtout dans le Jupiter et Antiope (N. 149). Cf. l'article de H. Naef ["RA" 1968]. **(C)**

b. [W. 57]. Étude possible pour l'œuvre en question. N'est connue que par la photographie conservée au Musée de Montauban.

c. [W. 56]. Autre exemplaire de date inconnue (toile, 22×36; signée "Ingres"; Paris, Collection particulière [W.]), autrefois propriété de Y. (?) Bartolini [Id.] et passé ensuite dans d'autres collections.

d. [W. 55]. Une troisième étu-

54

55

59

de, nettement postérieure, peut se reconnaître dans la toile (30×48; signée; "J. Ingres" du Victoria and Albert Museum à Londres.

e. [W. 317]. On peut voir peut-être une reprise tardive du thème dans une toile ovale (forme qui fait supposer des variantes importantes) et dans son pendant dont Ingres parle dans son cahier X comme d'œuvres de petit format et représentant justement une femme endormie; ces deux tableaux sont actuellement perdus. Ils passèrent ensemble à la vente Khalil Bey (Paris, 1868), — ce qui permet de penser que les figures étaient nues (voir N. 109 et 168a). L'un des tableaux fut acheté par un certain Garin et l'autre par Hérédia.

f. [W. 318]. Pendant du N. 57e.

58 ⊞ ✺ 11×14 *1808*? ▤ ⦂⦂

FEMME NUE COUCHÉE.

[W. 58]. Bois ovale. Considéré comme authentique par la plupart des spécialistes qui le rapprochent pour la date de la Dormeuse de Naples (N. 57a); la médiocrité de la photographie subsistante interdit tout jugement certain, mais l'autographie semble difficile à admettre. On sait qu'elle a appartenu à Degas (Vente 1918, Paris). Disparu.

59 ⊞ ✺ 50×38 ▤ ⦂

LE VOYAGEUR. Paris, Louvre.

Malgré l'inscription: "J. Ingres, 1809" (sur le socle de pierre, à droite), les historiens l'excluent désormais du catalogue d'Ingres et l'attribuent à son école. Legs Giroud (1926). Non cité dans Wildenstein.

60 ⊞ ✺ 93,5×69,3 1810 ▤ ⦂

CHARLES MARCOTTE D'ARGENTEUIL. Washington, National Gallery of Art (Kress).

[W. 69]. "Ingres pinx. Rome 1810". Le modèle (1773-1864) était directeur général des Eaux et Forêts à Rome. Marcotte posa aussi pour un remarquable dessin (plomb; 245×194 mm.; 1811; Paris, Collection Chavanne) et entretint de longs rapports cordiaux avec le peintre. L'œuvre provient de la famille Marcotte [W.]. Elle est entrée au musée de Washington après quelques collections documentées [Id.]. Elle a peut-être été retouchée.

61 ⊞ ✺ 63×49 *1810* ▤ ⦂

JEAN - BAPTISTE DESDÉBAN. Besançon, Musée des Beaux-Arts.

[W. 70]. Le modèle (1781-1833), architecte, se rendit à Rome dès 1806 mais ne fut pensionnaire à la Villa Médicis qu'à partir de 1809, avec Ingres et le sculpteur P. Lemoyne. C'est à ce dernier qu'Ingres fit don du présent portrait, et Lemoyne le vendit au peintre Jean Gigoux qui le légua au musée de Besançon (1894). La facture sommaire, — bâtie essentiellement sur trois tons: brun du costume, du fond et des ombres, incarnat des chairs et blanc du linge, — déplut beaucoup à J. K. Huysmans en 1883 [in "Bulletin P. Bérès" 1966]: il n'y vit que du "chocolat".

62 ⊞ ✺ 75,3×58,1 *1810* ▤ ⦂

JOSEPH-ANTOINE MOLTEDO. New York, Metropolitan Museum.

[W. 71]. C'est Wildenstein qui a identifié dans cet inconnu un membre de la famille corse Moltedo: mais il ne s'agit pas, comme le dit le critique, de Joseph-André-Antoine (1751-1829), mais de son neveu Joseph-Antoine (né en 1775), directeur des Postes à Rome pendant l'occupa-

tion française [Oberti, in Ternois, "C" 1967]. Le portrait dut probablement rester dans la famille en Corse; il appartint ensuite à Th. Duret et à Durand-Ruel (Paris); et à partir de 1924 ou 1925 à Mrs Havemeyer, New York, qui le légua en 1929 au musée. Historiquement, il peut se situer entre 1809 et 1814; mais son style permet de le dater vers 1809, date qu'autorise le rapprochement avec le N. 46: même composition pyramidale, même ampleur du personnage et du paysage (ici, le Colisée), même atmosphère romantique; identité enfin de palette jouant sur les gris et les bruns clairs.

63 ⊞ ✺ 94×69 1811 ▤ ⦂

EDME BOCHET. Paris, Louvre.

[W. 76]. "Ingres, Roma, 1811". Le modèle était directeur des Hypothèques à Rome, frère de Mme Panckoucke et beau-frère de Marcotte dont Ingres avait fait aussi les portraits. Il est représenté ici avec le costume et l'allure raffinés des Incroyables du Directoire comme le note Ternois ["C" 1967]. Le Louvre a acheté en 1878 (5.000 francs) le portrait à la famille Bochet.

64 ⊞ ✺ 93×68 1811 ▤ ⦂

MADAME PANCKOUCKE. Paris, Louvre.

[W. 77]. "J. Ingres, Rome,

60

61 [Pl. XVII]

1811". Le modèle, Cécile Bochet, épousa Mr. Forgeot en secondes noces. Le tableau fut exposé au Salon de 1814 [Sterling et H. Adhémar, Catalogue, 1960]. Passa de la famille Panckoucke à Wildenstein, puis à C. de Beistegui et entra au Louvre avec la donation de ce dernier (1942). Malgré de très beaux morceaux de peinture, l'œuvre a un aspect un peu inerte dû à la pose maniérée du modèle.

65 ⊞ ✺ 90×69,5 1811 ▤ ⦂

CHARLES - JOSEPH - LAURENT CORDIER. Paris, Louvre.

[W. 78]. "Ingres, Roma, 1811" (sur la pierre, en bas, à gauche). Naef a identifié exactement ["C" 1967] le modèle (1777-1870), haut fonctionnaire de l'administration française à Rome.

Dans le fond du portrait, le temple dit de la Sibylle et les cascades de Tivoli où, — d'après Lapauze, — le tableau a été peint; selon la comtesse Mortier, fille de Cordier (et qui légua le portrait au Louvre en 1886), le paysage aurait été peint par Granet (voir le N. 46). Mais ce renseignement est peu vraisemblable et d'ailleurs le style de ce morceau est bien dans la manière d'Ingres comme le prouve la comparaison avec le paysage du N. 62.

66 ⊞ ✺ 97×78 1811 ▤ ⦂

MONSIEUR DEVILLERS. Zurich, Collection Bührle.

[W. 79]. "Ingres à rome 1811". Le modèle était directeur de l'Enregistrement et des Domaines à Rome. Delaborde n'a pas mentionné cette œuvre qui est cependant citée par Ingres dans ses cahiers IX et X.

67 ⊞ ✺ 327×260 1811 ▤ ⦂

JUPITER ET THÉTIS. Aix-en-Provence, Musée Granet.

a. [W. 72]. "INGRES. ROME. 1811" (sur la base du trône, en bas, à droite). Le sujet est tiré du premier chant de l'Iliade. Ingres y pensait déjà en 1806 comme le prouve une lettre à Forestier du 25 décembre de cette année. La figure du dieu s'inspire probablement d'un Ju-

piter du Museo Pio-Clementino de Rome ou de celui gravé par Clarac [Musée, 1820]; la tête est empruntée au Jupiter d'Otricoli (Vatican); un paysan posa néanmoins pour le dieu ([Boyer d'Agen]; le dessin est à Montauban). La figure de Thétis est tirée au contraire d'une gravure (pl. 5) d'après Flaxman pour l'illustration de l'Iliade (voir aussi le N. 67c). La gigantomachie en bas-relief sur la base du trône est la copie d'un camée hellénistique du musée de Naples dont Ingres possédait un moulage (au musée de Montauban maintenant) [Ternois, "C" 1967]. La tête de Junon (?) à gauche, serait peut-être à rapprocher de l'ébauche N. 74. L'œuvre est le dernier "envoi de Rome" à l'Institut, exécuté par Ingres peu après la fin de son pensionnat à la Villa Médicis (1811). Les

57 b

57 c

57 d

 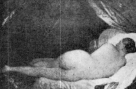

58

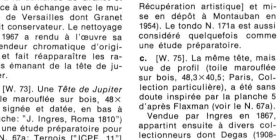

68

registres de l'Institut [Paris 1812] mentionnent les critiques sévères adressées à la pose "forcée" de Thétis (il y a une quarantaine d'années, le Dr. Laignel-Lavastine a tenté de justifier la déformation du cou de la déesse par une anomalie glandulaire ["Aesculape" 1929]), à la prétendue imitation des peintres "primitifs", etc.; Ingres le confia en 1814 à Granger et Marcotte pour le vendre en dépit du règlement (les envois de Rome étant propriété de l'Etat): il fut finalement acquis — par l'Etat! — en 1834, et envoyé à Aix à la demande de Granet et grâce à un échange avec le musée de Versailles dont Granet était conservateur. Le nettoyage de 1967 a rendu à l'œuvre sa splendeur chromatique d'origine et fait réapparaître les rayons émanant de la tête de Jupiter.

b. [W. 73]. Une Tête de Jupiter (toile marouflée sur bois, 48× 40; signée et datée, en bas à gauche: "J. Ingres, Roma 1810") est une étude préparatoire pour le N. 67a; Ternois ["ICPF, 11"] signale justement sa facture tardive: on sait en effet qu'elle fut retouchée et agrandie, lors du marouflage sur bois, par Ingres quand il la vendit, en 1866 (passa ensuite à la vente Lecomte à Paris en 1906; puis attribuée au Louvre par l'office des biens privés en 1950-51 [Fonds de la

Récupération artistique] et mise en dépôt à Montauban en 1954). Le tondo N. 171a est aussi considéré quelquefois comme une étude préparatoire.

c. [W. 75]. La même tête, mais vue de profil (toile marouflée sur bois, 48,3×40,5; Paris, Collection particulière), a été sans doute inspirée par la planche 5 d'après Flaxman (voir le N. 67a). Vendue par Ingres en 1867, appartint ensuite à divers collectionneurs dont Degas (1908-1918).

68 276×530 1812

ROMULUS, VAINQUEUR D'ACRON, PORTE LES DÉPOUILLES OPIMES AU TEMPLE DE JUPITER. Paris, Ecole des Beaux-Arts.

[W. 82]. "Ingres, Rome, 1812". En vue de l'arrivée de Napoléon à Rome en 1812, le "palais de Monte-Cavallo" (actuel palais du Quirinal) fut aménagé comme résidence impériale; une série de commandes furent alors faites à des sculpteurs et peintres de diverses nationalités suivant un programme iconographique bien défini. Par contrat du 26 février 1812, Ingres s'engagea à exécuter le N. 76 (destiné à la chambre de l'Empereur) et le Romulus dont des dimensions un peu plus importantes avaient été fixées (290×556); le prix convenu, 2.500 francs, devait être acquitté en trois versements dont le dernier eut lieu le 2 novembre 1812 [Boyer]. Cette œuvre était destinée au "second salon de l'impératrice" consacré aux combats héroïques de l'antiquité. Elle fut placée avec trois autres compositions, également à la détrempe, (par Agricola, Madrazo et Conca) sous les corniches, et une frise en grisaille en reliait les bordures dorées [Ternois, "C" 1967]. L'ensemble décoratif fut détruit ou dispersé en 1815 quand Pie VII rentra en possession du palais. Après son transfert au palais du Latran, (Id.) la peinture fut offerte (1867) par Pie IX à Napoléon III qui en fit don à l'Ecole des Beaux-Arts. Le sujet suit fidèlement le texte de Plutarque dans sa Vie de Romulus: après le rapt des Sabines, les peuples voisins de Rome attaquèrent la ville; Romulus promit d'offrir à Jupiter les dépouilles opimes du chef ennemi; ayant vaincu son adversaire, il remplit triomphalement son vœu comme on le voit ici (dans le fond du tableau, les dernières phases du combat). De nombreuses sources ont été signalées: la plus généralement admise serait le Triomphe de César de Mantegna (Hampton Court Palace) qu'Ingres connaissait en tout cas par les estampes; il a pu aussi s'inspirer de la frise de Phidias au Parthénon, connue déjà par des moulages et des dessins bien avant qu'elle ne fut transférée au British Museum (1816); du reste Thorvaldsen s'en inspira aussi pour une autre salle du palais impérial à Rome. La frise du temple d'Aphaia à Egine, transportée à Rome en 1815 seulement, ne paraît pas avoir offert de suggestions à Ingres. La figure de Romulus est imitée de l'un des Dioscures de la place du Quirinal (Id.) [et non d'un relief de Phidias, maintenant à la Ny Carlsberg Gliptotek de Copenhague, comme le proposait Rostrup]; le cheval vient de l'autre groupe de la place du Quirinal; des détails ont pu être empruntés aux frises du Parthénon. Ingres interprète en tout

cas les divers documents archéologiques dans son style personnel inspiré du trait non modelé inventé par les céramistes grecs et adopté par Flaxman: il accentue l'aplatissement des volumes en les cernant violemment afin de réaliser, — dans l'esprit de la fresque, — l'insertion parfaite de la peinture dans le contexte décoratif mural. L'élaboration soigneuse de l'œuvre est documentée par trente-sept dessins au musée de Montauban et par quelques autres, très beaux, au musée de Bayonne. D'autres, à commencer par une feuille du Louvre datée par erreur: 1808, semblent plutôt être des répétitions, dans certains cas très postérieures. Cf. l'article de Ternois ["RA" 1970].

nibus date lilia plenis" - "Tu seras Marcellus. Donnez-lui des lys à pleines mains ..."). C'est alors qu'Octavie tombe évanouie sur les genoux d'Auguste tandis que Livie reste impassible et froide devant l'incident qui pourrait la compromettre (l'impératrice Livie était sans doute responsable de la mort suspecte de Marcellus, prétendant au trône légitime, qu'elle avait dû faire éliminer pour assurer à son fils Tibère, né d'un premier mariage, la succession à l'Empire). Cette composition fut commandée à Ingres, vers 1812, par le général Miollis, gouverneur français de Rome. Virgilien fervent, il avait choisi ce sujet pour sa résidence à la Villa Aldobrandini où le tableau fut placé dans une chambre à coucher (lettre d'Ingres, 12.XI. 1823 [in Blanc]). Vers 1835, Ingres put racheter le tableau à un Borghese et l'expédia à Paris avec l'intention de le retoucher. A cette époque la gravure tirée du tableau par Pradier (1832) existait déjà: le thème, — développé par Ingres dans de nombreux dessins (dont celui, daté 1822, de l'ancienne collection Legentil, représente le stade initial; tandis que l'aquarelle (385×330 mm.) du Fogg Art Museum de Cambridge, est un calque colorié datant de 1850, — comporte une statue de Marcellus sur un piédestal, au

93

62 [Pl. XVI]

64

66

63

65 [Pl. XVIII]

69

67 a [Pl. XXI]

67 b

67 c

69 93×73 1812

LA COMTESSE DE TOURNON. Philadelphie, Collection Mc Ilhenny.

[W. 84]. "Ingres, Rome, 1812". Le modèle, née Seytres-Caumont, était la mère du baron de Tournon, préfet français de Rome jusqu'en 1814. L'œuvre resta longtemps dans la famille de Mme de Tournon.

70 302×325 1812?

VIRGILE LISANT L'ENÉIDE DEVANT AUGUSTE, OCTAVIE ET LIVIE, OU "TU MARCELLUS ERIS". Toulouse, Musée des Augustins.

a. [W. 83]. Le thème a sans doute été emprunté à quelque commentaire de l'Enéide: Virgile, lisant le poème devant l'Empereur Auguste, son épouse Livie, et sa sœur Octavie arrive au passage racontant la descente d'Enée aux Enfers (VI, 860-886) où Anchise prédit la fin prématurée de Marcellus, fils d'Octavie ("Tu Marcellus eris. Ma-

centre (cette statue n'existe pas dans l'exemplaire de Toulouse); l'effet dramatique y est accentué par le jeu violent du clair-obscur qui atteint sa pleine intensité dans l'ombre de la statue projetée sur le mur: "une grande ombre vengeresse", disait Ingres [in Delaborde]. Quant aux éléments iconographiques de décoration et d'ameublement, ils sont d'inspiration rigoureusement pompéienne [Deonna]; Virgile dérive d'une prétendue statue du poète conservée au Capitole [Clarac, Museo Capitolino]; Livie, de l'Agrippine également au Capitole [Id.]; Auguste, de différents bustes de l'Empereur [Deonna, Mongan, Mesuret, etc.]; la pose d'Octavie est prise d'une illustration de Girodet pour la Phèdre (V, 7) de Racine, éd. Didot.

On sait qu'après son retour à Paris, l'œuvre subit un début de retouches exécutées par un élève d'Ingres (peut-être un des frères Balze [W.]) sous sa direction, mais le travail ne fut pas achevé (lettre d'Ingres à Marcotte, 13.VIII.1854). Et elle devait toujours être dans le même état quand l'auteur la légua au musée de Toulouse où, — d'après Gatteaux (*in* W.), — elle aurait été restaurée et complétée en 1870 par P.-A. Pichon, autre élève d'Ingres: son appréciation est donc très difficile.

b. [W. 128]. Le même thème a été utilisé dans une toile (138× 142) des Musées Royaux de Bruxelles qui pose des problèmes difficiles quant à son histoire, sa chronologie et sa destination initiale. Elle ne comporte que trois figures: Virgile, Mécène et Agrippa, et la statue de Marcellus (introduits dans l'exemplaire de Toulouse dans un second temps) n'y paraissent pas encore. (La coiffure de Livie, différente de celle qu'on voit dans l'exemplaire de Toulouse, s'inspire de la statue de Laetitia Bonaparte par Canova (v. 1805), elle-même dérivée de l'*Agrippine* classique du Capitole à Rome [Schlenoff]. La restauration de 1964 a révélé de nombreux surpeints et repentirs: le bras d'Auguste a été abaissé de 10 cm. environ; le diadème et le voile de Livie ont été modifiés ainsi que la ligne du cou et de la bouche d'Auguste. Le 18 juillet 1813, Ingres annonçait à Marcotte son intention d'exposer au prochain Salon "une répétition de mon *Virgile*", d'environ six pieds [Delaborde], soit environ 190 cm, donc plus grande que l'œuvre

71

72

vre maintenant à Bruxelles. S'il s'agit cependant de cette dernière, ses dates limites pourraient être comprises entre 1812 et 1819 puisque Delaborde précise qu'elle a été terminée à Rome en 1819; mais le tableau de Bruxelles a plutôt l'aspect d'une ébauche très avancée. Il pourrait d'autre part être un fragment découpé dans une œuvre plus grande [Mongan-Naef, 1967] ce qui expliquerait la disparition de la figure de Virgile: il manquerait toute la moitié gauche, ainsi que des bandes en haut et en bas de la moitié droi-

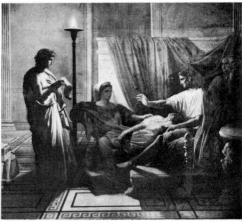

70 a

te de l'œuvre primitive. La composition est plus étendue en largeur que celle de Toulouse, et Livie est plus rapprochée du groupe d'Auguste et d'Octavie. Ce "fragment" de Bruxelles ne peut pas avoir été découpé dans le tableau Miollis comme l'avaient avancé Merson et Bellier, Amaury-Duval, car celui-là est à Toulouse et il n'y a certainement pas eu de substitution. De plus, Amaury-Duval a vu en 1825 à Paris dans l'atelier d'Ingres la toile aujourd'hui à Bruxelles, donc dix ans avant que le peintre ne rachète (1835) l'œuvre ayant appartenu à Miollis. A la mort d'Ingres, le tableau de Bruxelles passa à sa vente posthume (Paris, 1867) et y fut acheté (5.700 francs) par le musée belge. Ternois ["C" 1967] avance une hypothèse sous réserve d'examen: le *Virgile* aurait été un des thèmes envisagés, — sur proposition peut-être de Miollis, — pour le "premier salon de l'impératrice" au palais du Quirinal (voir le N. 67), mais le projet ne fut pas réalisé. On pourrait donc supposer qu'Ingres avait commencé une première peinture de format compatible avec le projet décoratif, puis qu'il l'abandonna pour entreprendre dans un autre format le tableau de même sujet destiné à la Villa Aldobrandini (voir le N. 70a): le tableau de Bruxelles serait par conséquent un fragment de l'hypothétique version destinée au Quirinal, un témoin du prototype antérieur de quelques mois à la toile de Toulouse. L'hypothèse est très séduisante et les éléments à son appui ne manquent pas.

Quant à son contenu stylistique, Delaborde définissait déjà la peinture de Bruxelles comme "un fragment détaché des murs de Pompéi ou d'Herculanum" qui réalise "l'idée que l'on peut se faire des grandes œuvres de la peinture antique": en effet,

70 c

le ton clair ou plutôt crayeux de l'ensemble, et sa réalisation en "surface" plutôt que perspective, lui donnent ce caractère de peinture murale recherché par Ingres dans l'œuvre réalisée pour le Quirinal (N. 68); et cet élément semble important dans l'examen de la priorité.

c. [W. 320]. Une version, sans doute authentique (puisqu'elle était à l'origine chez la veuve d'Ingres), fait maintenant partie de la collection Wildenstein à New York. Peinte sur un exemplaire (papier marouflé sur bois, 58×46,9) de l'estampe de Pradier (voir plus haut), elle ne peut donc être antérieure à 1832, année où sortit l'estampe, et comprend quelques variantes: la statue de Marcellus habillée d'une armure, un nouveau personnage à gauche, etc. Delaborde la date de 1865.

71 62×49 *1812*

LE DOCTEUR DEFRANCE. Zurich, Collection Bührle.

[W. 80]. Le modèle était le médecin personnel de Lucien Bonaparte à la cour de qui il vivait à Rome [Naef]. De la collection de Lucien Bonaparte et de ses descendants, l'œuvre passa au duc de Trévise qui la vendit à Londres en 1935; après divers changements de propriétaires, entra en 1955 dans la collection Bührle.

72 97×79 *1813*?

JACQUES MARQUET, BARON DE MONTBRETON DE NORVINS. Londres, National Gallery.

[W. 81]. "Ingres P. Ro"; à droite: "ROM ...", sur le buste classique reproduisant une *Athéna* du Vatican [Kurz, "BM" 1950]. Le modèle (1769-1854), haut fonctionnaire du gouvernement français, fut de 1810 à 1814 chef

70 b   [Pl. XIX]

de la Police de l'Etat de Rome. D'après une opinion longuement soutenue par la critique (et encore par Nora ["C" 1967]) l'œuvre aurait été peinte en 1811; mais comme l'a expliqué Davies [Catalogue, 1967], elle peut avoir été commencée en 1811, puisque des dessins relatifs au baron de Norvins remontent à cette année-là, mais en 1813 Ingres, faisant allusion au portrait (lettre à Marcotte, 18. VII), ne semble pas en parler comme d'une œuvre terminée. La peinture a beaucoup souffert du marouflage (1868) de la toile sur bois: le fer chaud utilisé pour le repassage a nécessité des retouches au nez, au buste etc. On note quelques repentirs à la tête, au costume, et au piédestal de la pseudo déesse Roma. Exposé probablement au Salon de 1814 et certainement à la rétrospective de 1867. Resta dans la famille Norvins jusqu'en 1890; appartint ensuite à Degas et à sa vente après décès, (1918) fut acquis par la National Gallery.

73 1813

RAPHAËL ET LA FORNARINA. Autrefois à Riga, Musée.

a. [W. 86]. C'est un des deux seuls sujets réalisés de la série projetée par Ingres pour illustrer la vie de Raphaël, son maître favori (voir le N. 77). Cette version est la première en date

de toutes celles connues. Elle était signée et datée 1813. En 1857, elle appartenait à R. Lehmann; puis elle entra au musée de Riga d'où elle disparut en 1941 pendant l'invasion allemande. Les traits de Raphaël sont inspirés de ceux de *Bindo Altoviti* (voir les N. 77 et 113); un modèle féminin a dû poser pour son corps; ceux de son amie dérivent de la célèbre *Vierge à la chaise* (Florence, Pitti; cf. les N. 22 et 37) plutôt que du portrait de la *Fornarina* (Rome, Galleria Nazionale). La mise en page et les éléments iconographiques secondaires en général, devaient être semblables à ceux de la version Fogg (voir ci-dessous n. 73b); une série de "premières pensées", dessins conservés à Montauban, prévoyaient "Raphaël debout, dans la contemplation du portrait de la Fornarina (sur le chevalet) [...] et le peintre s'appuyant tendrement sur l'épaule de la jeune femme".

b. [W. 88]. Toile (68×55; "Ingres, Roma"; Cambridge, Fogg Art Museum) peinte pour le comte de Pourtalès en 1814 (resta dans la famille Pourtalès jusqu'en 1865 date où elle fut acquise par les Rothschild et ultérieurement par d'autres collectionneurs; en 1943 au Fogg); exposée au Salon de la même année. On voit au fond la *Vierge à la chaise* (voir plus haut) à demi-cachée par le portrait de la Fornarina sur le chevalet (*id.*); à gauche, par une loggia, vue d'architectures Renaissance.

c. [W. 89]. Toile (32×27; [E.U.], Collection F. Kettaneh), peinte peut-être en 1814 aussi (a appartenu au peintre Müller, Stuttgart, et à divers autres propriétaires dont A. Kann). C'est la seule version où Raphaël n'enlace pas la Fornarina. Le portrait qu'il regarde n'est encore que dessiné; au fond, à gauche, paraît Jules Romain, des feuilles de dessin sous les bras.

d. [W. 231]. Toile (35×27; signée et datée: "Ingres à son ami Duban, 1840"; Columbus, Gallery of Fine Arts; provient, après diverses autres collections, de la collection de l'architecte Duban). La *Transfiguration* du Vatican remplace la *Vierge à la Chaise* (voir 73b), on distingue Jules Romain tenant un appuie-main, dans l'angle gauche.

e. [W. 297]. Toile (élargie et marouflée sur bois, 70×54; restée chez Madame Ingres jusqu'à sa mort [1887]; après diverses collections, se trouvait en 1961 à la galerie Knœdler de New York); commencée avant 1850, continuée en 1860-65 à Meung-sur-Loire et restée inachevée. La *Transfiguration* a été rapprochée; l'exécution du por-

73 b

73 c

73 d   [Pl. XLII]

73 e

76 [Pl. XXIII]

(A gauche) Esquisse à l'aquarelle (Montauban, Collection particulière) pour le N. 76, Pl. XXII (voir le N. 76). - (A droite) Autre étude préparatoire (aquarelle 247×187 mm., 1809; Cambridge [Mass.], Fogg Art Museum) pour le même tableau (N. 76).

trait de la Fornarina est plus avancée que dans les répliques précédentes (voir ci-dessus); le paysage du N. 73b reparaît, mais à droite; Jules Romain est supprimé.

74 27×20 *1813*?

TÊTE DE JEUNE FILLE (LAURE ZOËGA [?]). Paris, Louvre.

[W. 65]. Esquisse exposée à la rétrospective de 1867. Delaborde, puis Wildenstein la datent de 1807-09; H. Rostrup, qui propose cette identification ["GBA" 1969], la date vers 1808. Elle ne peut être très postérieure à ces dates si l'on admet d'y voir une étude d'après nature pour le portrait de la Fornarina dans le tableau N. 73a. Offerte par Ingres à son ami Valot. (C)

75 18×24,5

TÊTE DE JEUNE FILLE. Toulouse, Musée des Augustins.

On découvre de nombreux coups de crayon dans cette esquisse. Léguée par C. Dreyfus au Louvre en 1953 et déposée aux Augustins. Exposée par Ternois [*Ingres et son temps*, 1967] comme autographe d'époque imprécisée; l'attribution est admissible et la période 1810-15 à envisager avec réserve. Non cité dans Wildenstein.

76 348×275 1813-35*

LE SONGE D'OSSIAN. Montauban, Musée Ingres.

[W. 87]. "Ingres F. 1813" (sur le rocher, en bas au centre). Commandé en 1811 et exécuté pour le plafond de la chambre à coucher de Napoléon Ier au Quirinal, à Rome (voir N. 68). Primitivement ovale (comme on le voit dans la partie inférieure) et placé entre quatre reliefs d'Alvarez, ancien condisciple d'Ingres chez David, représentant des songes de l'Antiquité [Ternois, "C" 1967]. Dut être déposé en 1815 (comme le N. 68). En 1835, le peintre le racheta, l'envoya à Paris et le légua en 1867 au musée de Montauban; R. Balze le retoucha sous sa direction, mais ce travail, qui se prolongea au moins jusqu'en 1841, ne fut jamais achevé. Les poèmes gaéliques attribués à Ossian (mais dus en réalité à

divers poètes), recueillis, traduits en anglais et "développés" par J. MacPherson (1760-65), puis traduits en français par Letourneur (1777) suscitèrent un engouement extraordinaire dans les milieux pré-romantiques; et quand la supercherie de Mac Pherson fut dévoilée (1805), le prestige de "l'Homère du Nord" n'en resta pas moins énorme, et il détermina principalement le goût d'une des 'sectes' néo-classiques issues de l'atelier de David. Gérard, entre autres (Gros, Girodet, etc), développa un thème analogue (1801) pour la Malmaison (l'œuvre est détruite mais connue par des répliques, dont une a été récemment achetée par le musée de la Malmaison), et c'est son tableau qui inspira la composition de l'œuvre d'Ingres. Ici, Ossian voir en rêve Oscar (avec le heaume ailé) son fils, mort, Malvina, veuve d'Oscar, Fingal son père, roi de Morven, Starnos roi des neiges accompagné de jeunes filles jouant de la harpe, et d'autres héros de son poème. L'inachèvement de l'exécution, — ou bien la superposition des retouches ébauchées de Balze au "fini" d'Ingres, — et son atmosphère étrangement irrationnelle concourent au caractère étrange de cette peinture qui peut se ranger parmi les œuvres annonciatrices du surréalisme. Cf. l'article de Ternois ["RA" 1970].

Une aquarelle (282×238 mm.; "Ingres invenit et fecit" [sur le montage ancien]; Montauban, Collection particulière; autrefois à Gilibert à qui Ingres dut la donner en 1821) sans doute antérieure à 1812, documente avec un groupe de dessins (1811-13) [musée Ingres] la version initiale du tableau. Un second groupe de dessins (après

(Ci-dessus, de gauche à droite) Dessin autographe (mine de plomb, 46×50 mm.; Montauban, Musée Ingres): étude préparatoire possible pour le N. 78. Esquisse relative à la famille Murat: le prince Lucien, le roi et la reine (id., 87×117 mm.; "Prince Lucien, habit rouge et argent"; ibid.): vraisemblablement en relation, comme les dessins reproduits ci-dessous, avec le N. 79. - (Ci-dessous, de gauche à droite) Autres dessins en rapport probable avec le N. 79; le roi Joachim Murat (id., 239×124 mm.; nombreuses indications pour les couleurs des vêtements; ibid.); le prince Achille Murat (id., 291×217 mm.; "Dessiné d'après nature / par moi Ingres Naples 1814" [signature peut-être postérieure au dessin]; Paris, Collection J. Murat); la reine Caroline Murat (id., 298×225 mm.; "Ingres"; ibid.). Sept autres dessins en rapport probable avec le N. 79 se trouvent aussi au Musée Ingres.

1835 ou 1841), à Montauban aussi, se rapporte au contraire à son état actuel. Une autre aquarelle (247×187 mm.), acquise en 1935 par Winthrop et léguée par lui au Fogg Museum, Cambridge (Mass.), pourrait être encore antérieure à celle de Montauban: l'inscription, en bas à droite, "Ingres in e Pinx Roma 1809", tendrait à prouver que le peintre pensait à ce sujet bien avant la commande pour le Quirinal; mais, iconographiquement, cette aquarelle est plus voisine de la toile que celle de Montauban et elle doit être, en fait, assez tardive. Diverses autres aquarelles sont également des variantes postérieures. (C)

77 59×46 1813-14

LE CARDINAL BIBBIENA OFFRANT SA NIÈCE EN MARIAGE À RAPHAËL. Baltimore, Walters Art Gallery.

[W. 85]. "Ingres" (en bas, à gauche). Selon une tradition, fondée principalement sur la *Vita di Raffaello...* de Comolli (1791), le cardinal Bibbiena offrit sa nièce en mariage à son ami Raphaël; mais la jeune fille, de santé délicate, mourut avant les noces. La figure de Raphaël est inspirée du *Portrait de Bindo Altoviti*, Washington (il passait alors pour un autoportrait de Raphaël; voir le N. 113); celle de Bibbiena, du portrait peint par Raphaël (Florence, Pitti); celle, épanouie, de la jeune fille, d'un portrait dit "la *Fornarina*" de Sebastiano del Piombo (Florence, Uffizi), que l'on attribuait alors à Raphaël (Randall avait pensé qu'il s'agissait d'un tableau de Titien). Dans la pensée d'Ingres, ce tableau devait faire partie d'une série consacrée à la vie de Raphaël mais il ne réalisa que celui-ci et le N. 73. L'œuvre aurait été peinte

74

95

75

en vingt jours, temps très court pour Ingres qui se félicitait d'ailleurs (lettre à Marcotte, 26. V. 1814) de sa rapidité en ce cas. Exécuté pour Caroline Murat, reine de Naples, ce tableau parut à la vente du prince de Salerne (Naples, 1852); après diverses collections, parvint (1903 ?) au musée de Baltimore. Une aquarelle (1864; 185×148 mm.) se trouve au Fogg Art Museum, Cambridge (Mass.).

78 1814

CAROLINE BONAPARTE, PRINCESSE MURAT.

[W. 90]. Portrait certainement réalisé, comme le prouvent les notes d'Ingres, mais qui disparut presque immédiatement (probablement à la chute des Murat en 1815) sans laisser de trace sauf peut-être un dessin du musée de Montauban qui semblerait avoir été fait d'après nature, à Naples.

79 1814?

LA FAMILLE MURAT.

[W. 99]. Le portrait semble avoir été achevé et même remis; il fut en tout cas commencé et on peut y rattacher plusieurs dessins dont un de la reine Caroline assise (Paris, Collection J. Murat), et un, en pied, du prince Achille (*ibid.*), qui pourraient avoir été faits d'après nature à Naples. Le musée de Montauban en conserve quelques autres.

80 35×28 *1814*

PAOLO ET FRANCESCA. Chantilly, Musée Condé.

a. [W. 100]. "Ingres P.". Le sujet, bien connu, est tiré de la *Divine Comédie* de Dante (*Enfer*, V, 127-142). La source la plus généralement indiquée est l'illustration du même épisode gravée au trait d'après Flaxman (Londres, 1807); mais Ingres fut certainement encore plus impressionné par le tableau de Coupin de la Couperie, exposé au Salon de 1812 et gravé par C. P. Landon dans le *Salon de 1812* [Naef, "ZK" 1956]. La figure de Paolo doit dériver [*Id.*] d'un personnage de Raphaël dans la *Messe de Bolsena*. Et

81 a [Pl. XX]

81 b

81 d

81 c

81 e

il est vraisemblable que la *Francesca da Rimini* de Silvio Pellico, interprétée triomphalement en Italie par la Marchioni vers 1815, ait pu remettre en vogue cet épisode dantesque [Ternois, "C" 1967].

Avec Lapauze, on a généralement considéré que l'exemplaire d'Angers (voir cidessous) était la première version du sujet mais Wildenstein a montré avec vraisemblance l'antériorité de l'exemplaire de Chantilly, peint sans doute pour Caroline Murat en 1814, et acheté avec la collection du prince de Salerne par le duc d'Aumale en 1854. Le sujet plut beaucoup par son intensité romantique; il fit même oublier les "défauts" habituels d'Ingres, et en particulier l'allongement "expressionniste" du cou de Paolo qui donne un rythme souple à la figure, soudée à celle de Francesca en une arabesque triangulaire. C'est par ce jeu des lignes, plus encore que par le coloris pourtant heureux, que le tableau dépasse l'anecdote.

b. [W. 121]. Une version (toile, 48×39; "Ingres. Rom. 1819"), comportant une décoration plus élaborée (qui s'inspire [Naef, "ZK" 1956] d'une fresque attribuée à Masolino, à l'église San Clemente de Rome) de la pièce et une attitude différente de Gianciotto, avait été prise pour le prototype de la série (voir plus haut). Peinte pour la Société des Amis des Arts (500 francs) qui l'échangea contre une œuvre de Turpin de Crissé. Léguée par ce dernier (1859) au musée d'Angers.

c. [W. 123]. Une réplique très voisine (toile, 35×28; "J. Ingres") est au Barber Institute, de Birmingham, après diverses collections (J.-A. Corabœuf, puis Lapauze).

d. [W. 249]. Une autre version (toile, 22,8×15,8; "Ingres P. Ro.") assez semblable à la précédente (mais la base du triangle formé par les deux personnages au premier plan est plus réduite et Gianciotto se découpe sur un rayon de lumière au fond) daterait des environs de 1845 [W.]. Après avoir appartenu à la veuve du peintre, fut acquise par Bonnat et entra avec sa collection au musée de Bayonne.

81 ⊞ ◑ 74,5×92,7 ▤ ⦂⦂
1814

LA CHAPELLE SIXTINE. Washington, National Gallery (Kress).

a. [W. 91]. "Ingres 181[4] rom.". Commandée par Marcotte en 1812, commencée en 1813 et terminée en mai 1814. Resta longtemps dans la famille Marcotte; puis d'une collection particulière à Londres, est passée à la Fondation Kress. Elle représente Pie VII, entouré de nombreux dignitaires, recevant l'hommage des cardinaux pendant une messe dite à la chapelle Sixtine: en tout cinquante-quatre personnages (une lettre d'Ingres à Marcotte énumère les noms des prélats, et signale un autoportrait dans l'un des caudataires, 26.V.1814 [*in* Boyer d'Agen]). Au-dessus du trône papal, on reconnaît la fresque de Botticelli et celle de Perugino et Pinturicchio avec les premiers épisodes de la vie de Moïse; à droite, un fragment du *Jugement dernier* de Michel-Ange. Aussitôt après son arrivée à Rome, Ingres, frappé par les grandes cérémonies religieuses, avait projeté (lettre à Forestier, 7.IV.1807 [*in* L.]) une série de tableaux sur ce thème. C'est sans doute alors qu'il exécuta un groupe d'aquarelles, notations de costumes etc. (Montauban, Musée Ingres, n. 867.1326 et 867.1340; etc.), accompagnées de "premières pensées" de compositions situées dans diverses églises: *Cérémonie pontificale à Saint-Pierre* (Louvre), *Pie VII officiant à Saint-Pierre* ("1809"; Besançon, Musée), *Intérieur de l'église Sainte-Praxède à Rome* ("1810"; Paris, Ecole des Beaux-Arts) etc., dont on possède aussi quelques études préparatoires. La composition ne dérive pas,

comme l'ont dit les Goncourt, du *Concile de Trente*, alors attribué à Titien (Paris, Louvre), mais du tableau d'A. Tassi: *Investiture (1631) de Taddeo Barberini par Urbain VIII comme préfet de Rome* (autrefois au Palais Barberini, maintenant au Museo di Roma): Ingres s'est inspiré de la mise en page et du décor, qui est en réalité celui de la Chapelle Pauline du Quirinal, imitée de la Sixtine [Ternois, "BM" 1960]. La composition fut certainement précédée d'au moins une ébauche, peut-être à l'huile [W. 92], citée dans le *cahier IX* d'Ingres, et disparue depuis longtemps. Thoré-Bürger relevait déjà un coloris plus vigoureux que d'habitude dans la première version (Washington); cette caractéristique se retrouve aussi dans la réplique du Louvre (N. 81c). Ingres a sans doute ressenti l'influence des maîtres italiens et plus spécialement des fresques michelangelesques de la Sixtine.

b. [W. 256]. Copie, préparatoire probablement, (dessin repassé à l'huile sur papier-calque marouflé sur toile, 132×163; nombreuses indications manuscrites; Montauban, musée Ingres), de l'*Investiture de T. Barberini*, d'A. Tassi (voir plus haut).

c. [W. 131]. Version du N. 81a (toile, 69,5×55,4; "J. Ingres Rome 1820"), commencée à Rome en 1819, terminée l'année suivante à Florence, retouchée et agrandie à Paris vers 1828; acquise (600 francs) par de Forbin; entrée au Louvre en 1883 avec la donation Coutan-Hauguet-Schubert. Le thème est différent: il illustre le moment où le prédicateur (ici un franciscain) baise les pieds du pontife avant le sermon; le costume du pape est différent aussi, et il n'y a plus que vingt personnages, mais l'identité de l'ensemble démontre bien le rapport avec le N. 81a.

d. [W. 254]. *Investiture d'un préfet de Rome par Urbain VIII* (toile agrandie sur bois, 81×98; Montauban, Musée Ingres), répliqué partielle et modifiée du N. 81b (zone gauche), située ici dans la Sixtine; exécutée par des élèves sous la direction d'Ingres.

e. [W. 255]. *La tribune des chantres de la Chapelle Sixtine* (toile, 81×98; *ibid.*). Complément du précédent, également situé dans la chapelle Sixtine, identifiable par des parties de fresques. Travail d'atelier comme le précédent (toutefois enregistré dans le *cahier IX*). Peut-être une préparation pour la décoration de la chapelle de l'Ecole des Beaux-Arts de Paris, projetée par Ingres [W.].

82 ⊞ ◑ *1814 ▤ ⦂⦂

DON PEDRO DE TOLÈDE BAISANT L'ÉPÉE DE HENRI IV.

a. [W. 101]. Ingres était très attiré par la personnalité de Henri IV (il copia dans ses *cahiers* des passages de l'*Histoire de Henri le Grand*, par Hardouin de Beaumont de Péréfixe) à qui il consacra une autre composition (N. 94a). "... don Pedro de Tolède, ambassadeur d'Espagne à la cour d'Henri IV, voyant au Louvre l'épée du roi entre les mains d'un page, mit un genou en terre et la baisa, rendant honneur à la plus glorieuse épée de la chrétienté" (Ingres, *Cahier IX*); dans une lettre à Gilibert (Boyer d'Agen, I.XI. 1822), le peintre indiquait l'importance de l'hommage rendu par "un ennemi". L'épisode se situe au Louvre, dans la salle des Caryatides, près de la tribune de Jean Goujon qu'Ingres admirait fort. On connaît quelques dessins préparatoires (le musée de Montauban en conserve cinq) qui témoignent de la documentation historique recueillie par Ingres. Le prototype fut exposé au Salon de 1814 et n'eut que peu de succès; le fidèle Marcotte lui-même exprima ses réserves à l'auteur qui lui répondit par une lettre assez aigre (26.V.1814) où il défend la "vérité" de son dessin (disons plutôt son harmonie méditée) et de son coloris (fort et harmonieux, il est vrai), l'habileté sensible de sa touche (dans le style des meilleurs "nordiques", comme Teniers et Metsu, car il repousse au contraire celui mou et "insipide" de Dou), l'organisation du fond (comparable à celle des "grands" maîtres italiens). L'œuvre réapparut peut-être à Douai en 1833; elle est en tout cas perdue depuis longtemps et on ne la connaît que par la très modeste gravure de Réveil.

b. [W. 129]. Réplique très proche de la version originale (toile, 45×37; "Ingres Pinx."; Paris, Collection particulière), peinte en 1819 pour le peintre Jean Alaux.

c. [W. 141]. Une autre version avec les éléments du fond inversés d'où résulte une meilleure animation qui accentue l'intensité de la composition (bois, 48×40, "J. Ingres Pinx. Roma 1820", à gauche en bas), peinte pour M. Graves, de Montauban (cet amateur fut si satisfait qu'il demanda à Ingres un pendant. Ingres lui proposa *Sully déchirant la promesse de mariage que le Roi fit à Mlle d'Entraygues*; le projet ne fut pas réalisé, il n'en subsiste que des dessins, à Montauban). Passa ensuite à d'autres collection-

80 a

80 b [Pl. XXVIII]

80 c

80 d

Gravure d'A. Réveil (pl. 29 du recueil Magimel, 1851), qui restitue la version initiale décrite au N. 82 a.

neurs de Montauban. Actuellement, collection particulière, Oslo.

d. [W. 207]. Une autre version (toile, 32×30; "J. Ingres Pit. 1831") où l'escalier Henri II du Louvre remplace la tribune des Caryatides; la scène comporte de nouveaux personnages (le duc d'Epernon, le cardinal du Perron, Malherbe et Gabrielle d'Estrées); après diverses tribulations, est actuellement chez un collectionneur parisien.

83 a [Pl. XXIV-XXVII]

83 b

83 c

83 d

83 b (images row)

83 e   **83 f**   **83 g**

83 91×162 / 1814

LA GRANDE ODALISQUE. Paris, Louvre.

a. [W. 93]. "I. A. INGRES P.AT 1814 ROM." (en bas, à droite). Commandée (1813) par Caroline Murat comme pendant au N. 57a; la chute de la dynastie napoléonienne en empêcha la livraison; acquise (1819; 1.200 francs par le comte de Pourtalès-Gorgier, — d'où lui vient son autre dénomination "d'Odalisque Pourtalès", — chambellan du roi de Prusse; après quelques changements de pro-

82 b

priétaires, achetée par le Louvre en 1899. Exposée au Salon de 1819, puis en 1846 et en 1855 sans plus de succès: les principales critiques concernaient la faiblesse du dessin [Keratry, 1820], la monotonie du coloris et surtout les incorrections anatomiques [Keratry, Mantz, 1855; etc.]: erreurs volontaires du reste. Du vivant d'Ingres, seuls ses fidèles défendirent ces audaces qu'ils savaient nécessaires à la fluidité précieuse de la composition. Amaury-Duval, et quelques autres, comprirent que le vrai orientalisme de la scène ne dépend pas des accessoires turcs (turban, chasse-mouches, pipe, tabouret, etc.) mais de son rendu pictural fondé sur des zones colorées presque plates et qui anticipait d'un demi-siècle la découverte occidentale de l'art japonais. Deux dessins (Paris, Louvre; Londres, Collection particulière) témoignent des recherches d'Ingres pour atteindre la synthèse formelle qu'il a réalisée dans le tableau. L'élément formel externe, la pose, lui a été sans doute inspiré par le *Portrait de Madame Récamier* de David (Paris, Louvre), tandis que les caractères stylistiques lui vien-

82 c [Pl. XXIX]

nent des maniéristes toscans du XVIe siècle: c'est d'eux qu'il a pris les proportions fortement allongées du modèle se déployant en une élégante forme serpentine. **(C)**

b. [W. 95]. Réplique réduite [W.]: serait la toile (marouflée sur bois, 6×10,7; signée au dos: "Ingres pinxit") ayant appartenu à Gilibert; fait partie maintenant, après divers prédécesseurs, d'une collection particulière française.

c. [W. 94]. Autre répétition (toile, 10×19; signée: "Ingres"), au musée Turpin de Crissé, à Angers, depuis 1859. Œuvre de l'atelier.

d. [W. 226]. Répétition en grisaille, exécutée probablement entre 1824 et 1834. C'est la toile (83,2×109,2) qui a appartenu à la veuve du peintre, est passée dans sa famille, puis a été léguée par Wolfe au Metropolitan Museum de New York en 1938.

e. [W. 97]. Réplique de la tête seule, médaillon (toile, diamètre: 42 cm.). Léguée au Louvre en 1927 par Cosson, en dépôt au musée de Cambrai depuis 1936.

f. [W. 98]. Une autre, prise d'un peu plus près (toile, 34 cm. de diamètre, signée en bas à gauche, au crayon: J. Ingres) léguée au Louvre en 1938 par Mr P. Cartier et sa sœur. **(C)**

g. [W. 96]. Une troisième, le visage tourné vers la gauche, (toile, 42 cm. de diamètre) connue depuis 1867 seulement (vente Pastoret, Paris), a disparu.

84 44×33 / 1815

L'ARÉTIN ET L'ENVOYÉ DE CHARLES QUINT. ... (Belgique), Collection particulière.

a. [W. 103]. "J. Ingres, 1815". Décrit l'anecdote selon laquelle Charles Quint, revenu de son expédition malheureuse à Tunis, aurait envoyé une chaîne d'or à l'Arétin pour s'assurer sans doute le service de sa plume. L'Arétin aurait dit au messager de l'Empereur: "Voilà un bien petit cadeau pour une aussi grande folie" [Charpentier, *Carpenteriana*, v. 1660 (in Boscheron, 1724; M. Sampogna, *Lettere curiose*, 1741; G. Mazzuchelli, *La vita di P. Aretino*, 1773]. Le portrait de l'Arétin a la même origine que celle de son pendant (N. 85a); les deux tableaux ont d'ailleurs eu la même histoire .Le caractère fortement anecdotique est compensé par le coloris très heureux qui prend bien la lumière.

b. [W. 252]. Dans une réplique (toile, 44×36) très postérieure ("J. Ingres, 1848"), la figure du messager reste à peu près la même tandis que l'Arétin est

82 d

84 a

84 b

assis (la silhouette s'insère en une arabesque idéale qui devrait la relier mieux à celle de l'envoyé, mais pèche par une perspective assez confuse); on remarque des variantes dans le fond: une jeune femme — une des fameuses "soubrettes" de l'Arétin — remplace la figure masculine à l'extrême droite et on aperçoit un autoportrait de Titien sur le mur, à gauche. Pendant du N. 85b, son histoire est analogue tant qu'il appartint à Marcotte-Genlis. L'œuvre est actuellement perdue.

85 44×33 / 1815

L'ARÉTIN CHEZ LE TINTORET. ... (Belgique), Collection particulière.

a. [W. 104]. "J. Ingres, 1815". L'anecdote est racontée par Ridolfi [*Maraviglie*, 1648]: le Tintoret ayant su que l'Arétin l'avait calomnié, l'invita à venir poser dans son atelier. Quand l'Arétin arriva, "le Tintoret tira très brusquement un *pistolese* de sous sa veste" tout en disant à l'écrivain atterré: "Calmez-vous, je veux seulement prendre vos mesures". Ingres interpréta mal le mot *pistolese*, — qui désigne en réalité un couteau de chasse, — et a représenté Tintoret brandissant un énorme pistolet. Les traits de l'Arétin sont empruntés à la copie, gravée par P. de Jode, d'un portrait, probablement de Titien; la peinture est perdue,

mais elle n'était certainement pas un portrait de l'Arétin comme le prétend au contraire le graveur. L'œuvre d'Ingres a été exposée plusieurs fois à partir du Salon de 1824; son premier propriétaire connu était Réveil. Le caractère fortement anecdotique ne semble pas compensé, — du moins d'après la photographie, — par une réussite formelle. Pendant du N. 84a.

b. [W. 253]. Une réplique (toile, 44,5×35,6), très postérieure ("J. Ingres, 1848"), présente la même composition, avec quelques variantes de détails. Le

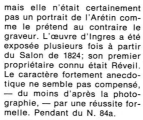

97

85 a

85 b

coloris est plus vigoureux et l'harmonie générale plus solide. Peinte comme le N. 84b son pendant, (exposée en même temps à la rétrospective de 1855) pour Marcotte-Genlis, dans la famille de qui elle resta jusqu'en 1875; elle dut ensuite être séparée du N. 84b et se trouve maintenant dans une collection particulière à Paris.

86 42×33 / 1815

JEAN-PIERRE CORTOT. Alger, Musée National des Beaux-Arts.

[W. 105]. "Ingres, 1815 à Rome". Le modèle (1787-1843) était sculpteur. L'œuvre, — mentionnée par Ingres dans les *cahiers IX* et *X* — appartint longtemps à la famille de Comps, de Montauban et fut acquise par le musée d'Alger en 1936.

86

87 ⊞ ◱ 47×33 1815 ▤ ⦂

MONSIEUR DE NOGENT. Cambridge (Massachusetts), Fogg Art Museum.

[W. 106]. "Ingres, Rome 1815". Le modèle était un ami du peintre. Après divers changements de propriétaires, l'œuvre a été léguée (1943) au Fogg Art Museum par G. L. Winthrop.

88 ⊞ ◱ 70×57 *1815* ▤ ⦂

MADELEINE INGRES, NÉE CHAPELLE. Zurich, Collection Bührle.

[W. 107]. En ce qui concerne le modèle, voir la *Chronologie*. Jusqu'en 1910 dans la famille de Mme Ingres; appartient à Lapauze jusqu'en 1929.

89 ⊞ ◱ 25×32 *1815*? ▤ ⦂

MADAME DE LAURÉAL ET SON FILS. Montauban, Musée Ingres.

[W. 201]. En haut à droite, inscription au crayon: "Madame de Lauréal ma Cousine, 1840"; une autre analogue, en bas à gauche: "M. Delaureal fils. Ingres". Identifié par Cambon, suivi par Wildenstein, comme étude probable des figures d'Apelle et de la Victoire dans l'*Apothéose d'Homère* (N. 121a); Momméja pense au contraire que ces deux têtes ont été utilisées dans le dessin *Homère déifié* (voir le N. 121a). Mme de Lauréal était la cousine de la première femme d'Ingres et l'épouse du greffier en chef de la cour impériale à Rome; née en 1782, elle avait cinquante-huit ans en 1840, ce qui ne ressort pas de ce portrait; on a donc supposé [Ternois, "ICPF, 11"] que l'esquisse remonterait au premier séjour d'Ingres à Rome, tandis que l'inscription, ou du moins la date, aurait été ajoutée par la seconde Mme Ingres. (C)

90 ⊞ ◱ 92×56 *1815*? ▤ ⦂

EVE. Montauban, Musée Ingres.

[W. 66]. Copie partielle d'une des compositions exécutées par l'atelier de Raphaël et sous sa direction pour les Loges du Vatican. Malgré sa médiocrité, les historiens s'accordent à y voir une œuvre autographe [jusqu'à Ternois, "ICPF, 11"] car Ingres lui-même mentionne cette peinture dans les *cahiers IX* et *X*, et de nouveau, dans la liste des œuvres léguées à Montauban (1851). Mais dans cette liste, l'œuvre est datée 1809, tandis qu'elle est citée dans le groupe des œuvres de 1815 dans les *cahiers* [Id.]. Elle a été parfois confondue avec une autre copie d'Eve, — au musée de Montauban aussi, — et tirée également d'un des épisodes des Loges, mais qui est différente de la présente. Elle est du reste d'Hippolyte Flandrin.

91 ⊞ ◱ 14×11 1815* ▤ ⦂

L'ABBÉ DE BONALD. ... (France), Collection particulière.

[W. 108]. Fils du philosophe, le modèle (1787-1870) fut par la suite cardinal et archevêque de Lyon. Le portrait appartint longtemps à sa famille.

92 ⊞ ◱ 40×29,8 *1816* ▤ ⦂

BENOIT-JOSEPH LABRE. Paris, Collection particulière.

94 a

94 b

94 c

[W. 110]. Portrait, — tiré de sources iconographiques imprécises (peut-être d'après le portrait par A. Cavalucci, de la Galleria Corsini, à Rome), et à peu près limité à la tête, — de saint Labre (1748-83). Mentionné dans les *cahiers IX* et *X* d'Ingres qui l'offrit à H. Vernet; appartint ensuite à Ph. Delaroche et à M. Cottier. La date "vers 1816" a été fixée par Delaborde.

93 ⊞ ◱ 106×84 1814-16 ▤ ⦂

MADAME DE SENONNES. Nantes, Musée des Beaux-Arts.

[W. 109]. "Ing. Roma" (sur une carte, à droite de la glace). Le modèle, Marie Marcoz (1783-1828) était lyonnaise et d'origine bourgeoise. Divorcée (1809) de J. Talansier, son concitoyen, elle devint la maîtresse vers 1810 du vicomte de Senonnes qui, en 1815, l'épousa. Ingres en fit d'abord un portrait au crayon, peut-être en 1813 (267× 198 mm.; Etats-Unis, Collection particulière); l'année suivante, il dut commencer le tableau, qui était en tout cas déjà avancé le 7 juillet 1816 (lettre du peintre à Marcotte). Le tableau, désagréable à la famille de Senonnes qui n'avait jamais approuvé le mariage avec Marie Marcoz, fut négligé, déchiré puis vendu (120 francs en 1852) à un marchand d'Angers à qui le musée de Nantes l'acheta (4.000 francs en 1853). La pose naturelle et aisée a été étudiée dans neuf dessins maintenant à Montauban; mais la qualité exceptionnelle du portrait réside avant tout dans le coloris splendide et recherché des rouges éclatants de la robe se détachant sur les jaunes soyeux du divan, et exalté par le contraste avec les tons éteints de l'image reflétée par le miroir. (C)

94 ⊞ ◱ 39×49 1817 ▤ ⦂

HENRI IV RECEVANT L'AMBASSADEUR D'ESPAGNE. Paris, Petit Palais.

a. [W. 113]. "Ingres Pinxit Roma 1817". Le thème a la même origine littéraire que le N. 82. Peint pour le comte de Blacas, ambassadeur de France à Rome; exposé au Salon de 1824, puis à la rétrospective de 1867; bien que resté dans la famille de Blacas, on en perdit la trace jusqu'à son entrée récente

(1968) au Petit Palais. Au fond, à droite, on découvre la *Vierge à la chaise* (Florence, Pitti; voir les N. 22, 27), hommage à Raphaël; la figure féminine, du même côté, semble tirée d'une peinture vénitienne du XVIe siècle, peut-être de Veronese. Œuvre caractéristique du gothique troubadour.

b. [W. 114]. Une réplique, très modifiée, mais avec les mêmes personnages, bien qu'intervertis (toile, 50×62; "Ingres"; Londres, Victoria and Albert Museum) dut être offerte par l'auteur à D. Papety, son camarade à la Villa Médicis; on peut donc penser à une date très précoce. D'après Delaborde, serait le prototype de la série et devrait être assimilée à la commande de Blacas.

c. [W. 115]. Une autre version, première pensée probable (toile, 40×47; Paris, Collection particulière); dans le même sens que le N. 94a, mais ne comportant que trois personnages (l'

ambassadeur et le souverain tenant un de ses enfants à califourchon) et avec un fond très différent. Elle a appartenu à Mme Ingres, puis à sa parente Mme Ramel.

d. [W. 204]. Une réplique tardive du N. 94a (toile; "Ingres 1828") parut aux rétrospectives de 1855 et de 1867; on sait qu'après quelques collectionneurs, elle appartint au baron Alphonse de Rothschild; actuellement disparue. Présente quelques variantes dans le groupe des enfants par rapport au N. 94a.

95 ⊞ ◱ 36×27 1817 ▤ ⦂

LA MADONE AUX CANDÉLABRES. Blois, Musée d'Art Ancien.

[W. 116]. "D'après Sanzio, 1817, Ingres à Cherubini". Copie de la peinture alors à la Villa Borghese, à Rome, et actuellement à la Walters Art Gallery de Baltimore, attribuable à Jules Romain plutôt qu'à Raphaël. Offerte au célèbre musicien (voir le N. 133a) mais passée peu après chez His de la Salle, qui la légua en 1870 au musée de Blois. L'œuvre est à l'origine d'une longue série de variations (voir en particulier le N. 132a), comprenant aussi la figure de la Vierge dans le *Vœu de Louis XIII* (N. 116a).

96 ⊞ ◱ *1817* ▤ ⦂

LOUIS XVIII.

[W. 117]. Copie d'une miniature de Daniel Saint, commandée par le comte de Blacas (voir N. 94a). Aucun autre renseignement que les notes d'Ingres dans les *cahiers IX* et *X*.

97 ⊞ ◱ 40×50,5 1818 ▤ ⦂

LA MORT DE LÉONARD DE VINCI. Paris, Petit Palais.

a. [W. 118]. "Ingres Pinxit. 1818". Représente la fin de l'artiste, mort selon la légende, dans les bras de François Ier. Peinte pour le comte de Blacas comme pendant au N. 94a; les

97 a

97 b

97 c

87

88

89

90

91

98

100 a **100 f** **100 g**

100 b [PI. LXIV] **100 c** **100 d** **100 e**

Persée et Andromède *(Detroit, Institute of Arts. Voir le N. 100 b).*

deux tableaux ont le même historique. Suscita l'intérêt de Stendhal au Salon de 1824 [*Mélanges,* 1867].

b. [W. 119]. Une version, avec les mêmes éléments mais intervertis (toile, 41×48; Northampton [Massachusetts], Smith College), a été publiée comme travail d'atelier par Klein ["BM" 1930]; Wildenstein la catalogue au contraire comme réplique autographe. Il pourrait s'agir en fait, d'une première pensée, à relier à la peinture préliminaire préparée, pour collaboration éventuelle, pour les gravures de Richomme et de Réveil (ce qui expliquerait l'interversion des personnages).

c. [W. 267]. Autre version, analogue à la précédente (toile, 50×48; signée; Londres, Collection particulière) que Wildenstein donne pour une réplique.

98 ⊞ ⊘ 88×109 1818 ▤ ⁝

PHILIPPE V, ROI D'ESPAGNE, DÉCORE DE LA TOISON D'OR LE MARÉCHAL DE BERWICK APRÈS LA BATAILLE D'ALMANZA. Madrid, Collection de S.A. la duchesse d'Albe.

[W. 120]. "Ingres Fat. an. 1818. Rom.". Commandé par le duc d'Albe, avec le N. 99, en 1813. Au service de Louis XIV, le maréchal de Berwick avait assuré le trône d'Espagne au petit-fils du souverain par la victoire d'Almanza; ici, le jeune Philippe V décore le vainqueur en présence de la reine d'Espagne, de la cour et de la suite du maréchal de Berwick. Les éléments historiques, soigneusement traduits, dérivent peut-être des cartons de Le Brun pour la suite de tapisseries des Gobelins de l'*Histoire du Roi* qu'Ingres connaissait certainement par des gravures. Un dessin d'ensemble de 1813 (Bayonne, musée Bonnat) doit être une première pensée mais avec moins de personnages; à Montauban, il y a vingt-cinq études de détails (l'aquarelle du Petit Palais est au contraire une réplique tardive: 1864). Au Salon de 1819 et aux expositions à Paris de 1846 et de 1855, l'œuvre ne provoqua guère qu'incompréhension: on en critiqua le coloris arbitraire, l'affectation [Jal, 1819], les incorrections de dessin [Thoré-Bürger, 1846], la crudité [Blanc] etc.

93 [PI. XXX]

99 ⊞ ⊘ 105×82 1815-19* ▤ ⁝

LE DUC D'ALBE À SAINTE-GUDULE. Montauban, Musée Ingres.

[W. 102]. Commandé avec le N. précédent par le quatorzième duc d'Albe, par l'intermédiaire de son représentant à Rome, Poublon; il devait représenter le duc d'Albe, envoyé méprisé de Philippe II, recevant à Bruxelles, dans l'église Saint-Gudule, les remerciements adressés par l'archevê-

que de Malines au nom du pape, pour avoir soumis la Flandre révoltée. L'œuvre resta inachevée, à la satisfaction d'Ingres qui disait avoir accepté cette commande pressé par le besoin (*Cahier IX*). A l'origine, la toile se développait en longueur et on voyait le prélat, à gauche avec sa suite, remettre les insignes pontificaux au duc, debout à droite [Ternois, "ICPF, 11"]; cette disposition, visible à l'œil nu, a été pleinement révélée aux rayons infra-rouges, et le tableau d'Alaux (1818), l'*Atelier d'Ingres* (Montauban, musée Ingres) la confirme. La solution visible maintenant fut décidée en 1819 [Blanc]: sur la toile développée désormais à la verticale, on voit le duc assis sur un trône au sommet de gradins; pour compenser le vide créé à droite, Ingres voulait remplacer le duc effacé par un diacre tendant à l'archevêque l'épée à remettre au "héros" [Ternois]. Composition sans aucun doute complexe que le co-

loris (splendide entremêlement de gris et de rouges d'une chaleur extraordinaire) pouvait unifier et rendre convaincant. Demeurée chez le peintre jusqu'en 1851 au moins, l'œuvre passa dans plusieurs collections, dont celle de Degas (jusqu'en 1918), puis au Wallraf-Richartz Museum de Cologne pendant la guerre; attribuée (1945) au Louvre par l'office des Biens privés, elle est au musée Ingres de Montauban depuis 1951 (dépot des Musées nationaux).

100 ⊞ ⊘ 147×199 1819 ▤ ⁝

ROGER DÉLIVRANT ANGÉLIQUE. Paris, Louvre.

a. [W. 124]. "J. A. D. Ingres. P.it Roma 1819" (en bas, vers la droite, sur le rocher). Commencé en 1818 [L.]; acquis pour Louis XVIII (1819, 2.000 francs) sur intervention du comte de Blacas; de 1820 à 1823 placé en dessus-de-porte dans la Salle du Trône, à Versailles; dès 1824 passa au musée du Luxembourg d'où il fut transféré au Louvre en 1874. Le thème est tiré du *Roland furieux* de l'Arioste (X, 92 sq.); les suppositions [Deonna; Davies; W.; Mongan; etc.] concernant un prétendu projet initial de représenter le mythe de Persée et Andromède semblent dénuées de fondement [Ternois, "C", 1967], comme le confirme une lettre d'Ingres à Gilibert (15.VII. (en réalité 15.VI.) 1821). Quelques dessins, dont deux à Montauban, montrent une première pensée: on y voit Angélique, les mains liées derriè-

re le dos, le visage tourné dans l'autre sens; la même pose revient dans des études peintes (voir ci-dessous). Dans un dessin d'ensemble (171×197 mm.) au Fogg à Cambridge (Mass.), la jeune fille a encore les mains liées derrière le dos, mais elle a la tête renversée en arrière comme dans l'œuvre achevée. L'ébauche peinte du Louvre (N. 100d), présentent Angélique dans la pose définitive. L'armure de Roger peut avoir été empruntée

au tombeau d'Antonio da Rido (XVᵉ siècle) à Santa Francesca Romana, à Rome, dont on sait qu'Ingres avait fait une copie (Ternois, "ICPF, 3").

Les critiques adressées à l'œuvre, exposée au Salon de 1819, furent les mêmes que celles faites au *Jupiter et Thétis* (N. 67a): gothique, fausse candeur, bizarrerie, coloris violacé etc. [Gault de Saint-Germain; Kératry; etc.]. En 1824, Delacroix trouva le tableau "charmant"; et en 1855, Théophile Gautier dit: "Rarement le sens intime du Moyen Age a été mieux compris". Mais avec Blanc seulement [1870] parlera-t-on de la pureté de marbre florentin et de la "beauté individuelle" d'Angélique.

La figure d'Angélique fut très admirée et souvent copiée, en particulier par Seurat (G.-B., coll. part.).

b. [W. 126]. Cette belle étude d'après nature (toile, 45,8×37), témoin d'une première pensée, fut donnée par Ingres à P. Delaroche (1831) et, après diverses collections, léguée (1943) au Fogg Art Museum de Cambridge (Mass.). Désignée parfois sous le titre d'*Andromède,* suivant l'hypothèse citée plus haut. La même figure reparaît dans une toile (18,2×15; signée "Ingres", naguère dans la collection Reid [Edimbourg] et maintenant à l'Institute of Arts de Detroit [W. 125]), donnée souvent comme autographe [par Mongan encore, 1967] (elle est parfois intitulée "Persée et Andromède" [voir plus haut]), mais il est difficile de l'admettre dans le *corpus* d'Ingres.

c. [W. 127]. Belle étude définitive de la figure d'Angélique sur fond rose (toile, 84,5×42,5), dite *Angélique aux trois seins* (H. de Waroquier), léguée au Louvre [1927] par P. Cosson.

d. Analogue à la précédente, mais doit être une réplique partielle du tableau définitif: toile (92×73), — ayant appartenu à Mme Maille (inscription au

dos), parente de la seconde épouse du peintre, — mise en dépôt au musée de Montauban par le Louvre (1954). Donnée à l'atelier par Ternois ("ICPF, 11"). Il ne faut pas confondre cette œuvre avec le n. 127 bis du catalogue Wildenstein (où elle est citée comme portant la signature "Ingres" et perdue), ni avec la fig. 76 qui dans le même catalogue est donnée comme esquisse préparatoire (et où l'on reconnaît difficilement la main du maître).

95

98

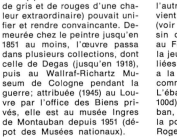

99

99

101

103

re de la Villa Médicis à partir de 1817. Ingres lui fit don de son portrait, que Lemoyne vendit à Jean Gigoux; remis dans le commerce d'art à partir de 1908 et acheté à la vente Lapauze (Paris, 1929) par la Nelson Gallery of Art.

102 *14×11*? 1815-20

ANDRÉ BOYER.

[W. 143]. Le modèle (1782-1862) était l'intendant de Lucien Bonaparte. Tout en la mentionnant comme une "petite miniature", Ingres use pour cette œuvre [cahiers IX et X] des mêmes termes que pour le N. 91, ce qui laisse supposer les dimensions indiquées ici. Il pouvait donc s'agir non d'une miniature mais d'une vraie peinture à l'huile [W.]. Delaborde la situe vers 1815-1820. A juste titre, Wildenstein ne retient aucune des identifications proposée jusqu'ici [Boyer, "GBA" 1930; Mariani, "E" 1935]. Disparu.

103 21×16,5 *1820*?

TÊTE DE JUIVE. Paris, Collection particulière.

[W. 144]. "Ingres". La toile d'origine a été agrandie du côté droit et marouflée sur bois. Offre l'aspect typique des études faites d'après nature pour les grandes compositions, mais on n'a pas encore découvert son utilisation. Avant de l'exposer à la rétrospective de 1867, Ingres l'avait vendue à Haro dont le fils probablement la vendit à Degas (1892).

104 108×85,7 1820

LORENZO BARTOLINI. Paris, Louvre.

a. [W. 142]. "Bartolini statuaire, peint par Ingres, à Florence, 1820". Sur le modèle, voir le N. 39. A gauche le buste de Cherubini, une partition de Haydn, livres de Dante et de Machiavel. Après divers passages, entra au Louvre avec la donation C. de Beistegui (1942).

b. On sait que ce portrait a été copié par un élève d'Ingres, A.-F. Stürler (1802-1881), et que le peintre retoucha cette réplique aujourd'hui perdue. Non cité dans Wildenstein.

105 280×217 *1820-1841*

JÉSUS REMET À SAINT PIERRE LES CLEFS DU PARADIS. Montauban, Musée Ingres.

a. [W. 132]. "J. Ingres Rom. 1820". Commandé en 1817 pour l'église du couvent français des Dames du Sacré-Cœur à la Trinité-des-Monts, à Rome; achevé en 1820; remis (en

105 a

105 d

105 i

105 k

105 e

105 h

1841) au gouvernement français (et remplacé par une copie due au peintre Murat) pour la collection de Louis XVIII et modifié par Ingres lui-même en 1841-42; ensuite au musée du Luxembourg; puis (1874) au Louvre qui, en 1959, le mit en dépôt au musée de Montauban. Le sujet est tiré de l'évangile selon saint Matthieu (XVI, 19); le groupement des figures s'ins-

pire du carton de Raphaël pour la tapisserie sur le même sujet (Victoria and Albert Museum, Londres). Le Musée Ingres possède 73 dessins relatifs à cette composition (études préparatoires, calques, études faites à partir de 1837 en vue de la gravure de Pradier). La composition est d'un classicisme conventionnel, et le coloris est plutôt froid et clinquant: elle

fut bien accueillie par la critique.

b. [W. 133]. On retrouve la composition entière dans une toile (26×19; Aix-en-Provence, Collection particulière) qui n'est sûrement pas une réplique peinte pour Gilibert, l'ami du peintre [Delaborde; W.] mais bien une ébauche préliminaire, puisqu'on la reconnaît dans l'Atelier d'Ingres peint par Alaux en 1818 (Montauban, Musée Ingres) [voir aussi la lettre à Gilibert du 3.VII.1821].

c. Une copie réduite, par Paul

105 b

Flandrin, retouchée entièrement par Ingres qui y ajouta deux personnages, appartint à E. Gatteaux; elle échappa à l'incendie de sa maison (1871 [Duplessis]) mais elle est maintenant perdue (non citée dans Wildenstein). Elle servit à la gravure de Pradier.

d. [W. 134]. Une étude pour la tête du Christ (toile, 50×37; "Ingres"), ayant appartenu à la veuve d'Ingres. est [W.] dans une collection particulière parisienne.

e. [W. 135]. Une belle étude pour les mains du Christ (toile, 35×22; "Ingres") est aussi dans une collection particulière à Paris. [W.].

f. [W. 136]. Etudes pour le pied droit de Jésus (toile marouflée sur bois, 21×25; "Ingres"); donnée par Ingres à Haro. Passa ensuite dans des ventes jusqu'en 1914. Paris, collection particulière. (C)

g. [W. 139]. Etude pour la tête de saint Paul (toile, 45×36; "Ingres"). Exposée en 1855 et en 1867. On en perd les traces après 1891.

h. Deux études d'après nature pour la tête de saint Pierre (toile, 49×35); celle de gauche a déjà l'attitude définitive. Collections du paysagiste Bodinier, élève et ami de Corot; léguée par lui au musée des Beaux-Arts d'Angers. Wildenstein ne

---

e. [W. 287]. Très voisin de l'œuvre précédente, cet ovale (toile, 97×75; "J. Ingres, 1859"; autrefois collection Wildenstein, New York, et maintenant au Museu de Arte, São Polo) aurait été commencé, selon une inscription au revers, avant la peinture définitive, en 1818; la signature et la date y auraient été apposées bien après à la demande de Haro.

Des versions ultérieures et analogues sont signalées par Delaborde, Davies, etc.; mais il est difficile de les repérer et d'en évaluer l'authenticité.

f. [W. 227]. Une réplique de la composition complète (toile, 47,5×39,5; signée "Ingres p.ᵗ"), ayant appartenu au comte H. de Mortemart, puis à divers collectionneurs et à Degas, a été acquise (1918) par la National Gallery, Londres. Antérieure à 1839.

g. [W. 233]. Une autre, ovale (toile, 54×46), achetée (1844; 5.000 francs) par le musée de Montauban, signée "Ingres", et datée "1841".

101 46×35 *1819*

PAUL LEMOYNE. Kansas City, William Rockhill Nelson Gallery.

[W. 130]. "Ingres". Le modèle (1784-1873), dit Lemoyne Saint Paul, sculpteur, fut pensionnai-

104 a

106

107 [Pl. XXXI]

110 [Pl. XXXII]

111

l'a pas cataloguée, mais elle est d'excellente qualité et certainement autographe.

i. [W. 137]. Etude pour la tête de saint Jean (toile, 38×25), autrefois collection Moitessier, puis collection particulière, Paris [W.]. A identifier probablement avec la *Tête de saint Jean-Baptiste* exposée à la Société des Amis des Arts, de Bordeaux, en 1867 [Id.].

j. [W. 140]. Etude pour la tête de saint Philippe ("Ingres"), exposée à l'Exposition universelle de 1855, a disparu ensuite.

k. [W. 138]. Etude très vigoureuse pour la tête de saint Matthieu (toile, 55,5×46; à l'origine, 44,5×36,5; sur la partie ajoutée: "Ingres P."; au revers "Donné par M. Ingres à M. E. Haro, 1855"). Don Halvorsen au Louvre (1930).

106 ⊞ ◐ 76×60 1821 ▤ ⋮

JEANNE GONIN. Cincinnati, Taft Museum.

[W. 147]. "D. Ingres pint. flor. 1821" (en bas, gauche). Le modèle (1787-1842) était la sœur de Jean-Pierre Gonin, négociant suisse, lié à Ingres d'une longue amitié. Le portrait a été probablement commandé par le fiancé de Mlle Gonin, P. Thomeguex, genevois établi à Florence. Le tableau resta dans la famille Thomeguex jusqu'à sa vente vers 1923 (350.000 francs?). Il devait, peu après, être racheté par Ch. Ph. Taft.

107 ⊞ ◐ 107×86 1821 ▤ ⋮

LE COMTE GOURIEV. Leningrad, Ermitage.

[W. 148]. "Ingres Flor. 1821" (en bas, à gauche). Le modèle (1792-1849), brillant officier pendant la guerre contre Napoléon, séjourna [Ternois] à Florence

108 a

pendant son voyage de noces (1820-21); à la fin de 1821, il fut nommé ambassadeur de Russie à La Haye, et non à Rome ou à Naples (postes qu'il occupa plus tard) comme on le croyait. Le portrait a-t-il été peint à Florence où Ingres séjournait alors? On ne sait pas avec certitude, cependant le paysage semble se situer dans le Latium ou en Ombrie plutôt qu'en Toscane. Quelques doutes subsistent aussi quant à l'âge du modèle (vingt-neuf ans) au moment où le portrait fut exécuté [Ternois, "C", 1967]. Il est ce-

pendant sûrement question de ce tableau dans une lettre d'Ingres à Gilibert (20.IV.1821) qui devrait éliminer les doutes soulevés par une lettre de H. Lehmann (18.IX.1839 [*in* S. Joubert]), où il parle d'un portrait du même Gouriev en voie ou en projet d'exécution; en réalité ce projet ne dut pas être réalisé.

108 ⊞ ◐ 47×56 1821 ▤ ⋮

L'ENTRÉE À PARIS DU DAUPHIN, FUTUR CHARLES V. Hartford, Wadsworth Atheneum.

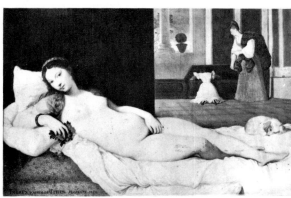

109

a. [W. 146]. "J. Ingres 1821•". Représente le retour à Paris du futur Charles V (2.VIII.1358) après la victoire des loyalistes sur Etienne Marcel. Le cortège est accueilli par les membres du Conseil de Régence, J. Pastourel, E. Alphonse et S. Maillard (suivant le récit de Froissart). L'œuvre, commandée par le marquis de Pastoret, devait probablement symboliser son loyalisme aux Bourbon en évoquant la fidélité à la couronne

108 b

qu'avait déjà démontrée son ancêtre, — vrai ou prétendu, — Jean Pastourel [Ternois, "C" 1967]. Appartint à divers collectionneurs avant de parvenir, en 1959, au musée d'Hartford. Dessins et notes témoignent des recherches historiques du peintre: Ingres a dû s'inspirer en particulier des miniatures de Fouquet pour les *Grandes Chroniques de France* (Paris, B.N., Ms. fr. 6465, fº 419), sans oublier les modèles italiens des XVᵉ et XVIᵉ siècles et les Nazaréens alors à Rome: le tableau a en effet une grande affinité avec l'*Entrée de l'Empereur Rodolphe de Habsbourg à Bâle en 1273*, de Franz Pforr (1810; Francfort, Städelsches Kunstinstitut). Mais la référence à Fouquet est évidente dans le développement animé du cortège virant brusquement à droite vers le fond et dans la vivacité des couleurs, également caractéristique du gothique troubadour. (C)

b. [W. 145]. Un buste d'homme en cuirasse, mais tête nue (toile, 50×40; "Ingres, 1821, Flor."; collection Wildenstein, à New York, après divers passages dans des collections françaises) est parfois rattaché [Blanc; W.] au N. 128a (où l'on retrouve en effet le visage barbu, à demi-couvert par une femme tenant un enfant, à gauche); mais il est plus probablement une étude préparatoire au guerrier en cuirasse, à l'extrême droite de l'*Entrée de Charles V*. On y a vu un rappel de Mantegna [Bryant] mais l'influence d'un vénitien du XVIᵉ siècle, Titien, Tintoret ou Veronese, semble plus plausible.

109 ⊞ ◐ 115,8×168 1822 ▤ ⋮

LA VÉNUS D'URBIN. Baltimore, Walters Art Gallery.

[W. 149]. "Ingres, d'après le Titien. Florence. 1822". S'identifie vraisemblablement avec la copie d'après le tableau de Titien (Florence, Uffizi) mentionnée par Ingres dans les *cahiers IX* et *X*. L'œuvre figura à la rétrospective de 1867; elle appartenait déjà à Haro (1866); propriété ensuite de Khalil bey, ambassadeur de Turquie à Paris, qui raffolait de ce genre de sujet (voir les N. 57 e, et 168a); à sa vente (1868) l'œuvre fut achetée pour la collection Wandé (Lille); puis elle disparut, et l'on se demanda alors laquelle des Vénus de Titien reproduisait cette copie [cf. W., n. 149]; après un itinéraire inconnu, parvint en 1931 à la Walters Art Gallery où elle ne fut

identifiée que récemment [cf. Randall, "A" 1965].

110 ⊞ ◐ 119,4×92,7 1823 ▤ ⋮

MADAME LEBLANC. New York, Metropolitan Museum.

[W. 152]. "Ingres P. flor. 1823" (en bas, à gauche). Françoise Poncelle (1788-1839) épousa J.-L. Leblanc à Florence en 1811 (voir le N. 111 pour d'autres indications).

111 ⊞ ◐ 121×95,6 *1823* ▤ ⋮

JACQUES-LOUIS LEBLANC. New York, Metropolitan Museum.

[W. 153]. "Ingres Pinx." (sur la feuille à droite). Le modèle (1774-1846), secrétaire du cabinet de la grande duchesse de Toscane, Elisa Bacciochi, sœur de Napoléon, se lia d'amitié avec Ingres en 1821, par l'intermédiaire des Gonin (voir le n. 106) et le peintre fit au crayon et à l'huile plusieurs portraits de sa famille [Naef]. Ce portrait et son pendant (N. 110) restèrent dans la famille Leblanc jusqu'en 1886 au moins; Degas les acheta dix ans plus tard et les garda jusqu'à sa mort. Le Metropolitan de New York les acheta à sa vente après décès (1918). (C)

112 ⊞ ◐ *1823*? ▤ ⊖

MADEMOISELLE LEBLANC.

[W. 154]. Isaure Leblanc (1818-1895), qui devint Madame Place par la suite, était la fille des précédents (voir les N. 110 et 111). Les documents concernant l'œuvre sont rares mais sûrs [*in* L.]; mais aucun des portraits dessinés connus (pas même celui [1834] du musée Bonnat de Bayonne) ne permet de donner une idée certaine de ce portrait disparu.

113 ⊞ ◐ 43×34 1820-24? ▤ ⋮

AUTOPORTRAIT DE RAPHAËL. Montauban, Musée Ingres.

[W. 163]. Copie du tableau des Uffizi vue par Cambon dans l'atelier d'Ingres, qui la cite pourtant parmi les œuvres anonymes; on peut néanmoins retenir, avec quelques réserves, [Ternois, "ICPF, 11"], l'authenticité affirmée par Wildenstein: la qualité de l'œuvre ne s'y oppose pas, de plus le sujet est mentionné par Ingres dans ses *cahiers IX* et *X*, et le tableau faisait partie de son legs au musée de Montauban.

Quant au *Portrait de Bindo Altoviti* (toile; 56×43), au même musée, copie du tableau qui passait à l'époque pour un autoportrait de Raphaël, mais que l'on attribue maintenant avec raison à Jules Romain (naguère acquis par la National Gallery de Washington), il est à mentionner avant tout à cause des confusions qu'il a fait naître, — chez Cambon et Momméja, et, quant aux dimensions, — avec le portrait de Raphaël décrit ci-dessus. Bien qu'il ait fait partie du legs d'Ingres à Montauban (1867), son attribution à Ingres semble décidément à exclure [Ternois, "ICPF" 11].

114 ⊞ ◐ 86×61 1821-24 ▤ ⋮

LA MADONE DU GRAND DUC. Montauban, Musée Ingres.

[W. 150]. "Ingres". Copie ébauchée du tableau de Raphaël au Palais Pitti, peut-être étude préparatoire au *Vœu de Louis XIII* (N. 116a). Legs Ingres (1867).

115 ⊞ ◐ 28×23 1821-24 ▤ ⋮

LES MAINS DE MADDALENA DONI. Bayonne, Musée Bonnat.

[W. 151]. Copie partielle du tableau de Raphaël au Palais Pitti. Légué par Bonnat; à identifier peut-être [W.] avec le n. 155 de la vente Beurnonville (Paris, 1885).

113

114

Copie du Portrait de Bindo Altoviti *(Montauban, Musée Ingres); voir à ce sujet le N. 113.*

115

101

116 a

116 b

116 h

116 c

116 g

116 e

116 f

116 421×262 1824

LE VŒU DE LOUIS XIII. Montauban, Cathédrale Notre-Dame.

a. [W. 155]. "J. Ingres, 1824" (en bas); sur le cartel tenu par les anges: "VIRG. DEIP. / REGN. VOV / LUDOV. XIII / A. R. S. H. / MDCXXXVIII / FEB.". Commandé en 1820 par le Ministère de l'Intérieur après quelques discussions sur le nombre d'œuvres à faire exécuter pour la cathédrale de Montauban; finalement une seule peinture fut commandée pour le prix de 3.000 francs (la Fabrique en paya 2.000 de plus par la suite). Peint à Florence de 1821 à 1824; apporté roulé à Paris par Ingres lui-même, il dut être rentoilé avant d'être exposé au Salon en novembre 1824. Le Gouvernement chercha à le retenir pour le musée du Luxembourg, mais Ingres s'y opposa, et le tableau ne fut mis en place à Montauban qu'en novembre 1826. Le thème convenu était le "Vœu de Louis XIII qui met sous la protection de la Sainte Vierge à son Assomption le Royaume de France" (1638), thème déjà traité antérieurement par d'autres peintres [cf. Auzas, 1967]. Ingres pensa d'abord limiter son tableau à la représentation de l'Assomption de la Vierge; puis influencé sans doute par les Madones de Raphaël, il choisit de faire une Vierge à l'Enfant; (dans une phase intermédiaire, il projeta une Vierge de douleur, dont témoignait un dessin (disparu) de l'ancienne collection Gatteaux [Blanc; Delaborde]. Une centaine de dessins, à Montauban (musée Ingres) et dans différents musées, documentent le long travail préparatoire qui impliqua, outre l'étude de Raphaël, l'examen du même thème interprété par Ph. de Champaigne (Caen, Musée), et du *Henri IV* de Pourbus (Florence, Uffizi) dont il tira la parure royale ("habillant le fils de l'habit du père" [lettre à Gilibert, 24.XII.1821]). Ingres trouva difficilement un modèle pour la figure du roi et dut le faire venir un de Rome. D'après Blanc, Ingres aurait posé nu sur une échelle et tenant son chapeau (en guise d'enfant!) pour faire fixer l'attitude de la Vierge par le peintre Constantin, son ami. Pour l'Enfant, il aurait employé un petit mendiant boiteux [*Id.*]. Pour la première fois, la critique du temps, — Landon inclus, — fut unanimement élogieuse; ce fut pour Ingres un vrai triomphe confirmé par la remise de la croix de la Légion d'honneur et un fauteuil à l'Académie des Beaux-Arts (1825). Seul le chapitre de Montauban fut mécontent et fit chastement poser des feuilles de vigne en papier doré sur l'Enfant Jésus et les deux angelots; Ingres n'obtint que bien plus tard la suppression de ces cache-sexe; mais il ne vit jamais son œuvre dans la lumière favorable où elle se trouva après les travaux faits en 1847. [Ternois, "BM" 1967].

b. [W. 156]. Ebauche datable de 1822 (toile, 36×23; "Ingres Flor. 18.."). Donnée par Ingres à Cambon (1849) qui la légua (1885) au Musée Ingres de Montauban. C'est une première pensée, avec la figure de la Vierge debout, sans l'Enfant.

Wildenstein [W. 156 bis] a publié comme étude d'ensemble un médaillon (papier maroufflé sur toile, 19 cm. de diamètre; New York, Collection Wildenstein), portant l'inscription: "Ingres à son élève Raymond"; ce serait donc une dédicace à R. Balze qui aurait eu l'œuvre dans sa collection. Jugeant sur photographie, l'attribution à Ingres semble à exclure.

c. [W. 158]. Plusieurs études pour les anges qui écartent les rideaux, et sont des rappels évidents de Raphaël, sont réunies sur une toile (60×74; "Ingres") vendue par l'auteur à Haro (1866); après différents passages, elle est maintenant [W.] dans une collection particulière à Paris.

d. [W. 159]. Quelques études de jambes pour l'un des anges

Prétendue ébauche (diam.: 19 cm., New York, Collection Wildenstein) du N. 116 a (voir le N. 116 b).

(ci-dessus) sur une toile (maroufflée sur bois, 34×19; "Ingres") dont l'historique est analogue à celui de l'œuvre précédente mais qui est perdue depuis 1893.

e. [W. 160]. Des études de l'Enfant se trouvent dans une toile (40×31), signalée dans diverses collections et en dernier lieu [W.] à Paris, dans une collection particulière.

f. [W. 157]. Une première pensée pour l'ange au cartel de droite, inspirée à la fois de la *Madone de Foligno* (Rome, Va-

tican) et de Pontormo, est entrée récemment dans la collection Wildenstein.

g. [W. 161]. Une étude pour les mains du roi (toile, 39×28) léguée par Ingres à Cambon qui à son tour la légua au musée Ingres à Montauban.

h. Une dérivation du groupe céleste (avec l'Enfant quelque peu modifié, sur le modèle de celui de la *Madone d'Albe* de Raphaël [Washington, National Gallery]) est intéressante en tant que témoignage des possibilités d'Ingres peintre de tableaux d'autel à sujets traditionnels. Ce groupe figure dans l'aquarelle (papier, 26,4×18,7; "J. Ingres" fec. 1855. à Madame Ingres"; Cambridge [Massachusetts], Fogg Art Museum, legs Winthrop) représentant l'*Apparition de la Vierge à saint Antoine de Padoue et à saint Léopold d'Autriche*. Le don qu'en fit le peintre à sa seconde femme pourrait expliquer le choix des deux saints, en particulier de saint Léopold, absolument inhabituel [Mongan].

117 31×23 1824?

PROFIL D'HOMME BARBU (ETUDE POUR LA TÊTE DE SAINT PIERRE). Paris, Collection particulière.

[W. 162]. "J. Ingres, 1824". Habituellement désigné par le second titre; cependant cette appellation n'est pas sûre, ni même vraisemblable d'autant que l'iconographie adoptée par Ingres pour la représentation de ce saint paraît très différente de celle-ci (voir le N. 105a); ce profil rappelle plutôt celui de Pindare dans l'*Apothéose d'Homère* (N. 121a). Parut à la vente aux enchères J. de Hauff (Bruxelles, 1877); appartint ensuite à Lapauze et fut acheté par Druet à la vente de ce dernier.

118 93×74 1826

MADAME MARCOTTE DE SAINTE-MARIE. Paris, Louvre.

[W. 166]. "Ingres, 1826". Le modèle, née Salvaing de Bois-

117

118 [Pl. XXXIII-XXXIV]

120

119

sieu, "une jeune femme frêle..." [L.] était la belle-sœur de Marcotte d'Argenteuil, l'ami fidèle d'Ingres (voir le N. 60). L'œuvre resta jusqu'en 1923 dans la famille du modèle.

119 ⊞ ⊘ 100×82 1826

LE COMTE AMÉDÉE-DAVID DE PASTORET. Chicago, Art Institute.

[W. 167]. "Ingres, 1826"; en haut, à gauche: "A M. de Pastoret Aetat. 32". Cette inscription ne concorde pas avec la première. En 1826, le comte, puis marquis de Pastoret (1791-1857), —haut fonctionnaire d'Etat qui réussit à maintenir sa situation malgré les changements de régime advenus pendant sa carrière, et client d'Ingres à qui il avait commandé très opportunément l'*Entrée de Charles V à Paris* (N. 108a), — avait trente-cinq ans; il en avait donc trente-deux en 1823 quand Ingres dut faire les premières études pour le portrait commandé ferme en 1824. Précieux jeu de noirs sur noirs dans le rendu de l'uniforme de conseiller d'Etat, mis en valeur par la croix de la Légion d'honneur, remise au modèle en 1824, et par les gants beurre frais. Appartint à Degas.

120 ⊞ ⊘ 77×65 1822-27

LA VIERGE AU VOILE BLEU. New York, Collection Wildenstein.

[W. 203]. "Ingres P.". Commandée par le comte de Pastoret (voir le N. 119) vers 1822, peut-être comme variante de la Vierge du *Vœu* (N. 116a) qui lui ressemble sans aucun doute. Le N. 127, destiné à lui faire pendant, sera peint en 1834. Resta dans la famille Pastoret jusqu'en 1897; passa ensuite dans plusieurs ventes. Le motif des mains jointes relie la composition à la longue série des *Vierge à l'hostie* (voir N. 132), ainsi qu'aux N. 130a et 160a. Les innombrables reproductions lithographiques de ce tableau sont la preuve de son succès.

121 ⊞ ⊘ 386×515 1827

L'APOTHÉOSE D'HOMÈRE. Paris, Louvre.

a. [W. 168]. "INGRES PING[bat] / ANNO 1827" (en bas, à gauche et à droite). Commandé en 1826 pour décorer le plafond de la neuvième salle (dite salle Clarac) du musée Charles X au Louvre, inauguré par le roi en 1827. La peinture fut exécutée dans l'atelier d'Ingres aidé de Cambon et de Debia, ses élèves; les inscriptions latines et grecques furent rédigées par l'archéologue Raoul-Rochette; Ch. et A. Mœnch peignirent, sur dessins d'Ingres, la décoration des voussures (allégories des sept villes qui se disputèrent la naissance d'Homère); il est difficile de suivre Schlenoff ("BSHAF" 1960) qui donne cette décoration comme autographe]; Ingres fut payé 20.000 francs. Entreprise en novembre 1826, l'œuvre fut donc exécutée avec une rapidité inaccoutumée pour Ingres: elle était marouflée sur le plafond le 4 novembre 1827. En vérité elle n'était pas tout à fait terminée [Vitet, "GL" 22.XII. 1827]; c'était plutôt une grisaille et elle ne dut être complète-

121 a [Pl. XXXVI-XXXVII]

(A gauche) Schéma pour l'identification des personnages représentés dans le N. 121 a. - (A droite) Dessin (1840-1865; Paris, Louvre) connu sous le titre d'Homère déifié, et entrepris par Ingres en vue de sa gravure pour Calamatta. (Voir le N. 121 a).

ment achevée que pour le Salon de 1833 ["LA" 1833], bien qu'Amaury-Duval affirme qu'Ingres n'y fit que quelques retouches pour cette occasion (dans le costume de Molière en particulier). En 1855, la toile fut descendue pour être présentée à l'Exposition universelle; en 1860 elle fut remplacée dans la salle Clarac par une copie des frères Balze et de M. Dumas; l'original entra au Luxembourg où il resta jusqu'en 1874; on le voit maintenant au Louvre en position verticale (il n'a pas été conçu du reste pour être vu d'en bas).

Ingres semble avoir médité ce sujet bien avant la commande; ce qui pourrait expliquer la rapidité de l'exécution qui n'en comporta pas moins des incertitudes, repentirs et études, dans le choix des personnages en particulier, tandis que la mise en page fut fixée immédiatement, comme en témoignent de nombreux dessins (plus de trois cents au Musée de Montauban, d'autres au Louvre et dans des collections particulières, tant de détails que d'ensemble). Le plan général est

centré sur la figure d'Homère, assis sur un large piédestal, devant le temple qui lui est dédié; la Victoire (ou une autre allégorie, cf. *infra*) le couronne; à ses pieds, assises sur un degré du trône, les personnifications de l'*Iliade* et de l'*Odyssée*; sur les côtés, le long des marches de l'escalier monumental, poètes, philosophes, peintres, architectes, sculpteurs, musiciens et chefs d'armée de tous les temps, rendent hommage au poète: l'*Apothéose* devient ainsi une sorte de profession de foi artistique et spirituelle d'Ingres, qui a peut-être même eu l'intention de s'identifier en quelque sorte avec son héros [Ternois, "C" 1967], objet de son admiration déjà au temps de l'atelier de David. Le choix des personnages dignes de figurer autour du poète fut laborieux: les premières esquisses sont pleines de longues listes (Montauban, Musée Ingres); à la fin, il en retint quarante-deux, en dehors d'Homère et des trois figures déjà citées. Ingres a motivé la présence de chaque personnage: tantôt c'est une véritable filiation, une affinité pro-

fonde; tantôt une anecdote plus ou moins légendaire [*Id.*]. Dans bien des cas, le choix est vraiment personnel, même quand il est lié au romantisme, et surprend par sa largeur de vue. Suivant le schéma numéroté reproduit ci-dessus, les personnages sont: *1.* Horace; *2.* Pisistrate; *3.* Lycurgue; *4.* Virgile; *5.* Raphaël; *6.* Sapho; *7.* Alcibiade; *8.* Apelle (tenant la main de Raphaël); *9.* Euripide; *10.* Ménandre; *11.* Démosthène; *12.* Sophocle; *13.* Eschyle; *14.* Hérodote; *15.* Orphée; *16.* Linos; *17.* Homère avec la "haste, arme des héros qu'il a chantés" (Ingres, *in* Magimel) et "le rouleau de ses œuvres"; *18.* Musée; *19.* la Victoire, ou l'Univers ou la Terre habitée (l'Humanité), avec la "couronne d'or" [*Id.*]; *20.* Pindare; *21.* Hésiode; *22.* Platon; *23.* Socrate; *24.* Périclès; *25.* Phidias; *26.* Michel-Ange; *27.* Aristote; *28.* Aristarque; *29.* Alexandre le Grand; (en repartant de gauche:) *30.* Dante, guidé par Virgile; *31.* l'Iliade, avec l'épée rappelant la Guerre de Troie et désignée par une inscription sur le degré où elle est assise; *32.* l'Odyssée, avec une rame

(allusion aux voyages d'Ulysse) et désignée aussi par une inscription analogue; *33.* Esope; (dans l'angle inférieur gauche:) *34.* Shakespeare, idole des romantiques; *35.* La Fontaine, souvent ignoré par les exégètes; *36.* Le Tasse, autre poète cher aux romantiques; *37.* Mozart (passé parfois sous silence), musicien aimé d'Ingres; *38.* Poussin, qui indique les maîtres de l'antiquité comme exemples; *39.* Corneille; (dans l'angle inférieur droit:) *40.* Racine; *41.* Molière; *42.* Boileau; *43.* Longin; *44.* Fénelon; *45.* Glück, autre passion musicale du peintre; *46.* Camoëns, le "Virgile du Portugal" que les romantiques considéraient comme l'un de leurs pères spirituels.

En 1840, Ingres, désirant faire graver l'œuvre par Calamatta, entreprit d'en faire une copie au crayon, connue sous le titre d'*Homère déifié* (Paris, Louvre) et qui ne fut achevée qu'en 1865; elle comporte des modifications significatives: Shakespeare, Le Tasse et Camoëns ont été supprimés parce que trop romantiques, d'autres artistes leur furent substitués

121 b

121 d

121 e

121 f

121 i

104

121 h

121 j

121 k

121 l

121 m

121 n

121 o

121 q

121 p

121 r

121 s

121 x

121 y

121 t

121 u

121 z

121 bb

121 cc

121 dd

121 ee [Pl. XLVI]

121 ff

121 gg

121 hh

121 ii

121 jj

121 kk

comme Ictinus l'Athénien, Jules Romain, Jean Goujon, Lesueur, Flaxman et David; des écrivains comme Alcée, Pline l'Ancien, Plutarque, Cicéron, l'abbé Barthélemy, Mme Dacier, etc. furent introduits ainsi que des chefs d'Etat dont Auguste, Côme et Laurent de Médicis, François Ier, Louis XIV et le pape mécène Léon X, adjonctions conforme à la nouvelle foi classique; au total, 82 personnages.

Comme d'habitude, l'*Apothéose* respecte scrupuleusement l'exactitude archéologique et historique compatible avec l'époque [Deonna; Ternois]. Le groupe central dérive d'un bas-relief d'Archelaos de Priène (Londres, British Museum) représentant Homère couronné par la Terre habitée, entre l'Iliade et l'Odyssée; les groupes latéraux peuvent avoir été suggérés par les fresques de Raphaël au Vatican et en particulier par l'*Ecole d'Athènes* et le *Parnasse*; Raphaël est aussi à l'origine des traits de la Renommée, ou Victoire. Homère et les autres personnages ont été étudiés sur des images vraies ou supposées, mais la plupart du temps sur les reproductions gravées des célèbres recueils d'antiquités de Caylus, Visconti, d'Hancarville, etc. Il en découle une certaine raideur inerte dans les têtes qui pouvait justifier, chez les critiques respectueux de l'expression, les épithètes "froide" et même "glacée" adressées à l'œuvre quand elle fut exposée en 1827. Il en va bien autrement de la force plastique des corps étudiés d'après nature, savamment rythmés et reliés comme une frise antique vivifiée par la couleur chaude et harmonieuse. Les classiques y virent un vrai manifeste antiromantique (cependant, encore en 1855, Delacroix en admirait l'exécution magistrale); l'œuvre fut tissée en tapisserie aux Gobelins, reproduite en bas-relief (Etex) et dans des peintures (Delaroche, Hamman); Seurat lui-même en copia la figure d'Alexandre (New York, Collection Rewald).

b. [W. 169]. Profil d'homme barbu, coiffé à l'antique (toile, 42×31), légué [? (1916)] par G. Cambon au Musée Ingres de Montauban. Wildenstein y voit la signature "Ingres" (invisible en réalité), et en fait une étude pour la figure du poète Alcée dans *l'Apothéose*, où ce personnage ne paraît pas, tandis qu'on le trouve dans l'*Homère déifié* (voir plus haut); d'autre part, il se peut que le critique en publiant ce profil se réfère au N. 121jj. De toute façon l'œuvre ne porte pas l'empreinte d'Ingres; Ternois ["ICPF, 11"] l'attribue avec réserves à A. Cambon, et elle porte en effet ce nom, écrit au crayon, au dos (mais c'est aussi le nom du donateur). On peut cependant penser qu'elle se réfère à l'*Apothéose* en tant qu'étude préliminaire (ou copie), mais d'atelier, de la tête de Pisistrate (*2*).

c. [W. 180]. Etude pour Lycurgue (*3*) (toile, 48×40; "Ingres"), signalée par Delaborde chez A. Cambon à Montauban. Parut à la vente Lehmann Paris, 1883). Disparue.

d. [W. 196]. Etude pour Raphaël (*5*) et pour les mains d'Apelle (*8*), de Raphaël et de Racine (*40*) (toile marouflée sur bois, 37×27,2; "Ingres"), au Louvre depuis 1929.

e. [W. 170]. Etude pour Apelle (*8*) (toile, 44×29; "Ingres"); passée par plusieurs ventes à partir de 1866; collection particulière, Paris [W.].

f. [W. 198]. Etudes de têtes (peut-être celles de Sophocle, Eschyle et, très douteusement, d'Esope ou Longin [*12*, *13*, *33*, *43*]) et de mains (toile marouflée sur bois, 21×27; "Ingres"; Montpellier, musée Fabre); le rapport avec l'*Aphothéose* ne se fonde que sur des affinités stylistiques avec des esquisses sûres.

g. [W. 172]. Etude pour Eschyle (*13*) (toile marouffée sur bois, 24×17; "Ingres") passée par plusieurs ventes, dont celles d'Ingres (1867) et de Beurdeley (1920) où elle fut achetée par Barret. Disparue.

h. [W. 324]. Etude pour Sophocle, Eschyle et Euripide (*12*, *13*, *9*) (toile 40×46; "J. Ingres 1866"), retouchée quand Ingres y mit la date pour l'offrir à Th. Gautier; vente Gautier, puis passage par d'autres ventes jusqu'à la vente Chéramy (1908); acquise ensuite par le musée des Beaux-Arts d'Angers. L'une des dernières peintures d'Ingres.

i. [W. 294]. Etude pour Orphée (*15*) (toile moruflée sur bois, 27×20; "Ingres, 1860"), retouchée quand elle fut datée pour être offerte à Mme Guille, belle-sœur d'Ingres (autrefois une inscription, peut-être au dos, se référait au don); après plusieurs collections, entra dans la collection Brenner, puis fut vendue à Paris (1949); fait partie d'une collection particulière parisienne [W.].

j. [W. 173]. Etude pour Homère (*17*) et, peut-être, pour Orphée (*15*), toile, 53×44; léguée par G. Cambon au musée Ingres, Montauban). La tête du poète dérive d'une sculpture antique, probablement celle du Louvre qu'Ingres connaissait par la gravure publiée par Visconti; la pose vient de celle de Jupiter trônant, connue par plusieurs groupes classiques.

k. [W. 174]. Etude pour les pieds d'Homère (*17*) (papier marouflé sur toile, 17×22,4; "Ingres"), divers changements de propriétaires dont Degas; don au Louvre (1933) de la Galerie Bernheim jeune, Paris.

l. [W. 192]. Etudes partielles pour la Victoire (*19*) et pour une figure masculine non utilisée (toile marouflée sur bois, 30×25; "Ingres"; New York, Collection Wildenstein); l'œuvre avait été exposée à la rétrospective de 1867.

m. [W. 191]. Etude pour la figure de la Victoire (toile octogonale, 26×27; "Ingres"; Bayonne, musée Bonnat), a appartenu à divers collectionneurs.

n. [W. 323]. Etude probablement d'après nature (posée peut-être par Mme de Lauréal [W.], voir le N. 89), pour le buste de la Victoire (*19*) (toile marouflée sur bois, 24×19; "Ingres, 1866"), retouchée quand elle fut datée. Historique connu à partir de 1866. En dernier lieu dans la collection Hyde, Glens Falls (New York).

o. [W. 188]. Etude pour la tête de Pindare (*20*) toile, 24×17; "Ingres Pt."), collection R. Balze, vente Biron [1914], puis diverses collections françaises.

p. [W. 189]. Etude pour les bras de Pindare (*20*) (toile, 19×35; "Ingres"). Exposée à la rétrospective de 1867; après diverses collections, entra dans la collection Babinet. Musée de Poitiers (legs Babinet).

q. [W. 187]. Etude ou réplique variée du buste de Pindare (*20*) (toile marouflée sur bois, 35×28; "Ingres"), exposée en 1867. Appartint à divers collectionneurs dont Degas. Acquise par la Tate Gallery, Londres (vente Degas, 1918); en dépôt à la National Gallery.

r. [W. 199]. Profil d'homme barbu (toile marouflée sur bois, 38×28; "Ingres"; Paris, Collection particulière [W.], après être passée dans plusieurs collections et à la vente de biens ennemis sous séquestre, Paris [1947]); Wildenstein le relie à l'*Apothéose* comme figure de prêtre non utilisée; on peut aussi le rapprocher de Pindare (*20*).

s. [W. 184]. Première pensée pour le buste de Phidias (*25*) (toile marouflée sur bois, 32×35; "Ingres"; San Diego, Fine Arts Gallery), vendue par Ingres à Haro; appartint ensuite à divers collectionneurs dont Degas.

t. [W. 186]. Etude pour le bras de Phidias (*25*) (rentoilée, 19×44), legs A. Cambon (1885) au musée Ingres de Montauban.

u. [W. 185]. Une autre semblable (toile, 24×49; "Ingres") cédée par Ingres à Haro; passée par quelques ventes dont la dernière connue à Berlin, en 1925; on la crut ensuite perdue [W.], mais elle serait peut-être à identifier avec un tableau d'une collection particulière à Mannheim [Ternois, "ICPF, 11"].

v. [W. 181]. Etude pour la figure de Michel-Ange (*26*) et mains (toile marouflée sur bois, 23×22; "Ingres"); vendue par Ingres à Haro et perdue depuis 1892.

w. [W. 194]. Etude pour les figures d'Aristarque et d'Aristote (*28*, *27*) et pour cinq mains (toile marouflée sur bois, 22×27; "Ingres"), perdue après la vente Ingres (1867).

x. [W. 193]. Etude pour les figures d'Alexandre et, peut-être, d'Aristote (*29*, *27*) (toile marouflée sur bois, 26×21; léguée par Ingres au musée de Montauban). Alexandre porte le coffre d'or destiné à conserver les œuvres d'Homère, comme dans la toile définitive et dans l'*Homère déifié*, mais il y a des variantes: avant tout l'introduction de la tête d'Aristote, advenue très tardivement [Cambon]; ce qui amène à penser que le premier aspect de l'œuvre a été changé pour la transformer en toile autonome. La tête d'Alexandre dériverait [Deonna] d'une petite statue du Musée de Naples, qu'Ingres connaissait par une estampe éditée par Visconti; celle du philosophe serait tirée d'une statue du palais Spada (Rome), publiée aussi par Visconti [*Id.*]; elle diffère en tout cas substantiellement de celle de l'œuvre définitive dérivant d'une gravure ultérieure de Visconti [*Id.*].

y. [W. 171]. Etude pour le buste de Dante (*30*) qui offre la *Divine Comédie* à Homère (toile marouflée sur bois, 37×34; "Ingres", Copenhague, Ordrupgaardsamlingen), vendue par Ingres à Haro; appartint ensuite à divers propriétaires dont Degas et W. Hansen.

*Etude présumée pour la personnification de l'*Iliade *(Toronto, Art Gallery of Ontario) dans le N. 121a (voir le N. 121cc).*

z. [W. 177]. Tête de femme (toile, 35×22, "Ingres"), vendue par Ingres à Haro; passage dans diverses collections; signalée enfin [W.] chez un collectionneur à New York. Etude, selon Wildenstein, pour la figure de l'*Iliade* (*31*); mais il pourrait s'agir aussi d'une œuvre antérieure, exécutée indépendemment de l'*Apothéose*.

aa. [W. 176]. Œuvre analogue à la précédente, de mêmes caractéristiques techniques et dont l'historique débute de la même façon; mais elle n'est pas passée par les mêmes ventes que le N. 121z. Disparue.

bb. [W. 178]. Etude pour les pieds de l'*Iliade* (*31*) (toile marouflée sur bois, 17×22; "Ingres"), vendue par Ingres à Haro; après divers propriétaires se trouve maintenant dans la collection David-Weill, Neuilly.

cc. [W. 175]. Toile (59,5×53,5; en bas à gauche: "Ingres", et à droite: "ΙΛΙΑΣ"; Neuilly, Collection David-Weill) avec la figure de l'*Iliade* (*31*) assez différente de celle de la toile du Louvre. On pensait [W. inclus] que c'etait une étude préparatoire; mais c'est en fait une réplique tardive, exécutée peut-être vers 1850 [Ternois, C", 1967].

Une autre prétendue étude dont toute la figure est analogue (toile, 63,5×80) a été donnée (1957) à l'Art Gallery d'Ontario; mais c'est une œuvre certainement postérieure à Ingres.

dd. [W. 183]. Etude probablement d'après nature pour la figure de l'*Odyssée* (*32*) (toile marouflée sur bois, 24×18; "Ingres"), vendue par Ingres à Haro; après divers passages, elle est maintenant dans la collection Hyde de Glens Falls (New York). Présente des anticipations extraordinaires de Picasso "néo-classique".

ee. [W. 182]. Toile (marouflée sur bois, 61×55; "Ingres", et sur la pierre: "ΟΔΥΣΣΕΙΑ"; Lyon, musée des Beaux-Arts, legs Joseph Gillet, 1923) représentant la figure de l'*Odyssée* (*32*) mais très modifiée, par rapport à celle du Louvre. Pendant probable du N. 121cc; pris d'abord pour une étude préparatoire, mais doit être une réplique assez tardive, comme le N. 121cc.

ff. [W. 197]. Etude pour les mains de Corneille (*39*) et d'autres personnages: peut-être Virgile et Euripide (*4*,*9*) (toile marouflée sur bois, 33,5×30,5; "Ingres"); vente Ingres de 1867; quelques changements de propriété, puis entrée au Louvre (don Vittà, 1925).

gg. [W. 195]. Etude pour les mains de Boileau (*42*) et d'autres figures (toile marouflée sur bois, 32×26,5; "Ingres"): historique analogue à celui de l'œuvre précédente. Entrée au musée des Beaux-Arts de Lyon, en 1911, don Vitta.

hh. [W. 179]. Etude, probablement d'après nature, pour le buste de Longin (*43*) (toile, 32×23; "Ingres"; Paris, Collection particulière); publiée par Wildenstein.

ii. [W. 190] Têtes et mains sur papier (16×16; Montauban, Musée Ingres), en partie dessinées et en partie peintes à l'huile. Porte l'annotation "Plutarque"; pourrait donc être relative à l'*Homère déifié* (voir N. 121a).

jj. Etude d'après nature, peut-être pour la tête du poète Alcée (toile marouflée sur bois, 28×20; "Ingres"; legs G. Cambon (1916) au musée Ingres, Montauban), relative peut-être à l'*Homère déifié* (voir N. 121a). Œuvre autographe mais Wildenstein ne la catalogue pas; cette omission

122 a [Pl. XXXV]

Réplique à l'aquarelle (papier, 345×235 mm.; signée et datée 1864; Bayonne, Musée Bonnat) du N. 122a.

Variante (Washington, Collection D. Phillips) du N. 122a (voir N. 122b).

pourrait venir d'une confusion entre cette œuvre et le N. 121b.

kk. [W. 200]. Tête d'Ulysse [W. etc.] (toile marouflée sur bois, 24,9×18,5; "Ingres", mais vraisemblablement œuvre d'atelier), on la rattache habituellement à l'*Apothéose* [W. encore], mais elle pourrait être relative à l'*Homère déifié* (voir N. 121a). Vendue par Ingres à Haro et passage par diverses collections. Don Chester Dale, National Gallery, Washington.

122 ⊞ ◒ 35×27 1828

LA PETITE BAIGNEUSE OU IN-TÉRIEUR DE HAREM. Paris, Louvre.

a. [W. 205]. "Ingres 1828". Peint pour Mme Coutan dès 1830. Après quelques changements de propriété, acquise par le Louvre (6.600 francs) en 1908. C'est substantiellement une réplique avec variantes de la *Baigneuse dite de Valpinçon* (N. 50); la figure principale est

123 —

124 [Pl. XXXIX]

la même (elle reparaîtra dans le *Bain turc* [N. 168a]), un peu moins agile peut-être: la modification, pourtant légère, du drapé sur le bras, ajoute l'ombre projetée du coude mais ôte du mystère au mouvement. Naef a indiqué les modèles ayant servi pour certaines des petites figures ["O" 1957]: la joueuse de tambourin est empruntée à une gravure de Vitalba illustrant les *Eastern Costumes* de Fr. Smith (Londres, 1769); la jeune fille qui se fait coiffer vient d'une gravure de Haussard du recueil des *Cent estampes qui représentent différentes nations du Levant* (Paris, 1714-15): ces estampes appartenaient à Ingres, — il les a léguées au musée de Montauban, — et il les a copiées exactement mais en se servant de modèles placés dans les mêmes attitudes. Le décor dériverait d'une miniature persane. Il faut tenir compte aussi des lettres (v. 1717) de lady

Montague, femme de l'ambassadeur de Grande-Bretagne en Turquie, données habituellement comme source littéraire [Schlenoff; etc.] du *Bain turc* (N. 168a): mais un passage de ces lettres, recopié par Ingres dans le *cahiers IX* [Delaborde], où il est question de baigneuses orientales coiffées par des esclaves, semble s'appliquer davantage à la *Petit Baigneuse* qu'au *Bain turc*.

Cette œuvre a été copiée par Ingres lui-même dans un dessin perdu mais dont témoigne une aquarelle autographe de 1864 (Bayonne, musée Bonnat); Réveil a tiré (1851) une gravure de ce dessin, mais au lieu des petites figures visibles dans le fond de la toile de 1828, on y voit déjà certaines baigneuses et la danseuse du N. 168a.

b. [W. 165]. Delaborde signale une autre version du thème, à l'huile, ayant appartenu à E. Blanc jusqu'en 1862, puis à Mme Blanc (1870) et il la dit signée et datée 1826: il devrait s'agir en ce cas de l'original même plutôt que d'une réplique. Une peinture analogue (toile, 33× 27,6; "Ingres 1826"), de la collection D. Phillips à Washington, est en effet identifiée par Wildenstein, — qui la tient pour autographe, — avec l'œuvre ayant appartenu à Blanc, puis à Haro et à d'autres collectionneurs avant de parvenir à Phillips. En outre le critique la rattache non seulement à la citation de Delaborde, mais à une note d'Ingres dans le *cahier X* ("Baigneuses turques"). Ternois ["C", 1967] déclare justement l'œuvre "assez déconcertante": à juger d'après la photographie, on doit à tout le moins admettre que ses repeints empêchent d'y reconnaître la main du maître. Il vaut donc mieux l'exclure provisoirement de la liste des œuvres originales.

123 ⊞ ◒ 129×90 1829

CHARLES X EN COSTUME DE SACRE. Bayonne, Musée Bonnat.

[W. 206]. "J. Ingres pˣⁱᵗ 1829" (à droite, en bas). Le sacre du souverain eut lieu à Reims en 1825 suivant le cérémonial très compliqué et traditionnel de l'Ancien Régime, et bien différent de celui ordonné pour le sacre de Napoléon Iᵉʳ. Chargé de prendre sur le vif des dessins de la cérémonie destinés à être gravés, Ingres assista au couronnement. Il y esquissa un portrait dessiné du Roi qu'il n'acheva [Momm éja] qu'en 1828 (Paris, Louvre). Le présent tableau fut peint pour le comte de Fresne et passa plus tard dans la collection Bonnat. Le roi tient le sceptre de Charles V et la main de justice dite de Charlemagne qui figurent aussi dans le *Napoléon Iᵉʳ sur le trône impérial* (N. 37); son manteau est brodé de fleurs de lys; à ses pieds, sont disposés des drapeaux.

Une aquarelle (26×19,7; "Ingres"; Chicago, Art Institute) avec des variantes dans les tentures et sans les drapeaux, pourrait être une esquisse d'ensemble, comme semble le prouver la mise au carreau.

124 ⊞ ◒ 116×96 1832

MONSIEUR BERTIN. Paris, Louvre.

[W. 208]. "J. INGRES PINXIT 1832" (en haut, à gauche); "L. F. BERTIN" (en haut, à droite). Louis-François Bertin, dit Bertin l'aîné (1766-1841), fondateur et directeur du *Journal des Débats*, était aussi un homme d'affaires heureux. Les dessins préparatoires (Montauban, Musée Ingres; Paris, Louvre; New York, Metropolitan Museum; Cambridge [Massachusetts], Fogg Art Museum) attestent les longues hésitations provoquées par le choix de la pose. Le public du Salon (1833) trouva néanmoins cette pose vulgaire, ridicule et la fille du modèle elle-même estimait que le peintre avait transformé "un grand seigneur en gros fermier".

On en connaît une copie (naguère collection Say, Paris) signée par Ingres, mais exécutée par Amaury-Duval. Une autre (même collection) est attribuée à Girodet.

125 ⊞ ◒ 39×27,3 1832

TÊTE DE VIEILLARD BARBU.

[W. 209]. Exposé à la rétrospective de 1867; fit partie ensuite de la vente Lehmann (Paris, 1883) et disparut ensuite. Sa chronologie et ses dimensions [Delaborde; W.] ne permettent pas de l'identifier avec des œuvres analogues.

126 ⊞ ◒ 147×114 1834

LE COMTE MATHIEU MOLÉ. Paris, Collection de Noailles.

129 a

129 b [Pl. XL-XLI]

[W. 225]. "J. Ingres Pinxit. 1834". Le modèle (1781-1855) fut premier ministre sous Louis-Philippe. L'œuvre resta longtemps chez ses descendants. Eut une large diffusion en estampes, pour des raisons évidentes de caractère politique.

127 ⊞ ◒ 80×66 1834

CHRIST EN BUSTE. New York, Collection Wildenstein.

[W. 211]. "J. Ingres, 1834". Commandé par le marquis de Pastoret comme pendant du N. 120. Resta dans la famille Pastoret jusqu'en 1897. Présente beaucoup d'affinité avec la figure analogue N. 105a et surtout avec l'étude N. 105d.

128 ⊞ ◒ 407×339 1834

LE MARTYRE DE SAINT SYM-PHORIEN. Autun, Cathédrale Saint-Lazare.

a. [W. 212]. "J.-A. Ingres, 1834". Commandé en décembre 1824 par l'évêque d'Autun pour la cathédrale Saint-Lazare où elle fut placée dix ans après. Mgr de Vichy, dans sa lettre au ministre de l'Intérieur (23.X.1824 *in* L.]), indique avec précision tous les détails: le martyre d'Autun (v. 160-179) devait être représenté dans le moment où il est entraîné par les sbires du gouverneur romain, au temple de Bérécinthe, hors des portes de la ville, pour y sacrifier aux idoles ou recevoir la mort; du haut des murailles (à gauche), sa mère l'exhorte à ne pas trahir le vrai Dieu, et Symphorien se retourne vers elle pour l'assurer de sa foi et lui dire un dernier adieu; autour de lui, la foule nombreuse animée de sentiments divers est dominée par la figure d'un centurion à cheval; Ingres a scrupuleusement respecté le sujet donné. L'évêque recommandait en outre de reproduire la porte Saint-André, près de laquelle se déroule l'épisode, d'après une estampe publiée par de Laborde; on devait aussi apercevoir le temple païen. Ingres ne se servit pas de la gravure, où la porte est présentée de face, mais chargea un architecte d'en faire quelques dessins en perspective; quant au temple, il se contenta de le suggérer à droite.

Absorbé par l'*Apothéose d'Homère* (N. 121a), Ingres ne commença pas tout de suite ce travail (seulement en 1826) désirant l'affronter avec son habituelle et patiente documentation: environ deux cents dessins au musée Ingres de Montauban, de nombreux autres au Louvre et dans les musées de Londres, Bayonne, Rouen, Berne, Cologne, Cambridge [Massachusetts], Kansas City et chez des particuliers, témoignent de ces recherches. Les croquis

plus anciens montrent le saint agenouillé; la pose définitive s'affirma pourtant vite, étudiée d'après nature (un modèle féminin: Caroline l'Allemande) comme celle de tous les autres personnages (Ingres posa lui-même plusieurs fois). Il y mit un tel réalisme qu'il n'y a guère de sources iconographiques à indiquer en dehors de la *Messe de Bolsena* de Raphaël (Vatican, Chambre d'Héliodore), qui lui servit pour le groupe de la femme tenant un enfant (à gauche) mais qu'il reproduisit dans le sens inverse du modèle (voir ci-après, le N. 128h); on peut rappeler que pour les cuirasses et autres accessoires, il fit faire des maquettes en bois d'après des documents d'époque pour les copier (elles sont encore au musée de Montauban). Ceci annule donc l'affirmation d'About (1855) selon qui tous les éléments décoratifs étaient "conventionnels, faits de mémoire". La toile fut exposée au Salon de 1834 où déjà la critique se montra hostile et parfois sarcastique, en particulier celle du courant néo-classique, disciple de David. Les romantiques, au contraire, lui accordèrent quel-

127

130 a

130 b

ques approbations élogieuses: par "l'exagération" du dessin, "l'abus de la force dans le nu", Ingres "se séparait irrévocablement de David" (L.). Ces éloges ne suffirent pas à adoucir l'amertume d'Ingres qui accepta bien volontiers de quitter Paris et de prendre le poste de directeur de l'Académie de France à Rome. Il ne semble pas en tout cas que la valeur réelle de l'œuvre consiste, — comme le disent quelques critiques récents, — dans le rapport entre la violence dynamique des formes, et l'action dramatique qui est représentée; on peut dire plutôt que le coloris harmonieux (fondé sur des notes fortes de rouge et de vert) sert à freiner l'impétuosité (parfois théâtrale, comme par exemple l'attitude du martyr) des manifestations extérieures d'énergie. Du reste, le choix très médité de l'ensemble de la composition (fondé sur un schéma pyramidal, typiquement raphaélite) confère à ces manifestations un ordre rigoureux.

b. [W. 202]. Première pensée d'ensemble (toile, 55×30; "Ingres 1827") connue au moins depuis 1866 (vente Varcollier); après diverses collections, a été récemment introduite sur le marché nord-américain. Présente des variantes importantes par rapport à l'œuvre définitive.

c. [W. 319]. La composition entière, avec des variantes légères, se retrouve dans une toile (36×31; Philadelphie, Museum of Art, collection J. G. Johnson); c'est une réplique tardive comme le prouve l'inscription: "J. Ingres, 1865".

d. [W. 213]. Etude pour la figure de la mère du martyr, du centurion, de saint Symphorien et d'autres personnages (toile, 62×50; "Ingres"); vendue par Ingres à Haro puis léguée par Winthrop au Fogg Art Museum de Cambridge (Massachusetts).

e. [W. 215]. Etude pour diverses figures, utilisées (en particulier celle du licteur, au premier plan, à gauche) ou non (toile, 61×50; en bas, à gauche: "Ingres à Monsieur Henry Delaborde"); Musée Ingres, Montauban (don Gruyer, 1949).

f. [W. 214]. Une autre analogue mais développée pour la figure du licteur de droite (toile marouflée sur bois, 62×50; "Ingres"); cédée par Ingres à Haro et léguée (1943), après quelques changements de propriétaires, au Fogg Art Museum de Cambridge (Massachusetts).

g. [W. 216]. Une étude de nu pour le licteur de droite (toile, 50×27; "Ingres") fut exposée à la rétrospective de 1867; appartint ensuite à Haro, puis à Degas. Dans une collection particulière à Paris depuis la vente après décès de ce dernier (1918). (C)

h. [W. 220]. Une étude, vraisemblablement d'après nature, pour le groupe de la jeune femme et de l'enfant, à gauche (toile marouflée sur bois, 21×18; "Ingres"). Vendue par Ingres à Haro; entra ensuite dans la collection Bonnat et de là au musée de Bayonne. Il est à noter que l'influence de Raphaël reprend le dessus (voir le N. 128a).

i. [W. 217]. Très vigoureuse étude pour la figure du centurion (toile, 26×21); léguée (1867) par Ingres au musée de Montauban.

j. [W. 218]. Une étude pour la figure du centurion et d'autres éléments peinte en petite partie seulement (papier, 26×24). Legs Ingres (1867) au musée de Montauban.

k. [W. 221]. Etude au crayon noir partiellement peinte à l'huile, probablement d'après nature, pour le jeune garçon embrassant la colonne, à l'extrême droite (papier, 14×10), legs Ingres, Musée de Montauban (1867). Noter qu'ici, comme dans les autres cas similaires (voir le N. 128h), la version définitive a mis en relief l'influence de Raphaël.

l. [W. 219] Une étude pour la tête et les bras d'un vieillard barbu et pour un pied (toile, 15×19), parut à la vente Marcotte-Genlis (1868), passa par quelques autres ventes, puis entra dans la collection Bonnat et de là au musée de Bayonne. A rapprocher peut-être de la tête, bien plus jeune, de l'homme placé derrière le licteur, à droite.

m. [W. 222]. Une étude de bras, au crayon noir, peinte partiellement à l'huile (papier, 13×11; legs Ingres au musée de Montauban) peut être reliée au Martyre en raison de son affinité stylistique avec les ébauches sûres.

n. [W. 223]. Pour deux têtes d'hommes (toile marouflée sur bois, 29×23; ancienne collection marquis de Rochambeau. Acquise en 1951 par Wildenstein, New York) qui pourraient être de la période examinée, on suppose avec réserves [W.] qu'elles peuvent être en rapport avec le Martyre.

128 à

128 b

128 c

128 d

128 e [Pl. XXXVIII]

128 f

128* ⊞ ⊘ 41×32 *1834*
TÊTE DE JEUNE FEMME. New York, Collection Germain Seligman.

[W. 210]. Inscription, en bas, à gauche: "Etude donnée par Ingres à Achille Martinet, 1833". Aurait ensuite fait partie, selon Wildenstein, de la collection J.-A. Boussac, à qui l'aurait ensuite acheté le baron Cassel en 1931. C'est, peut-être, le tableau catalogué par Delaborde sous le n. 93, et qui appartenait, en 1870, à M. Paravey [W.]. Selon Hélène Toussaint [Le Bain turc d'Ingres. Les dossiers du Département des peintures du Musée du Louvre, 1. Paris 1971], serait à rapprocher de la tête de l'ange de droite du Vœu de Louis XIII (N. 116 a), de la femme du "groupe des époux" dans la partie gauche de l'Age d'or (N. 144 a) et de la baigneuse qui s'appuie joue à joue à sa compagne coiffée d'un diadème dans le Bain turc (N. 168 a).

129 ⊞ ⊘ 72×100 1839
L'ODALISQUE À L'ESCLAVE. Cambridge (Massachusetts), Fogg Art Museum.

a. [W. 228] "J. Ingres, Rom. 1839". Exécuté pour Marcotte d'Argenteuil; resta dans sa famille, — au prix même des rachats, — jusqu'en 1875; puis après quelques autres collections, parvint au Fogg Art Museum avec le legs Winthrop (1943). L'œuvre est un développement de la Dormeuse de Naples (N. 57a) provoqué par la

128 g

128 l

128 m

128 n

128 h

128 i

128 k

128*

vogue de l'orientalisme créée par le romantisme. King ["JWG" 1941] a recherché ses sources iconographiques, mais l'enquête semble inutile puisqu'on connaît l'œuvre dont elle procède; une lettre d'Ingres à Gatteaux (7.XII.1840) disant qu'il avait peint l'odalisque "sur des dessins" (probablement ceux ayant servi pour la Dormeuse) "en l'absence du modèle vivant", confirme au moins en partie cette hypothèse. Le décor peut avoir été tiré de miniatures persanes; plusieurs accessoires sont turcs, du XIXe siècle [Ternois, C", 1967], parfois largement "occidentalisés" en particulier la balustrade. C'est d'ailleurs en tant que taches colorées qu'ils comptent: leur authenticité documentaire est indifférente. Indifférentes au même titre, les observations de Thoré-Bürger [Salon de 1846] et de Mantz ["LA" 1846] lors des expositions de 1846, 1855 et 1867, indiquant diverses erreurs anatomiques: erreurs voulues qui ne visent qu'à développer au maximum la figure centrale en une arabesque ondulante (Perrier le comprit en partie [Ibid. 1855]), motif celui-là, authentiquement oriental [Ternois], par opposition aux horizontales et verticales rigides. Thoré-Bürger réprouvait en outre l'absence de perspective atmosphérique, autre reproche qui fut assez fréquemment fait à Ingres, et qui s'explique par le travail "sur dessin".

Une aquarelle d'ensemble, datée 1839 (Bradford, Collection Hanley) est probablement une esquisse; tandis qu'un dessin, d'ensemble aussi (Paris, Louvre) est une répétition du tableau, étant daté 1858. D'autres dessins préliminaires, d'ensemble ou partiels en particulier pour l'esclave et aussi pour l'odalisque se trouvent au musée Ingres à Montauban, au Petit Palais à Paris, au British Museum et dans la collection Aberconway à Londres.

b. [W. 237]. Une réplique avec variantes, comportant un fond de paysage (toile, 76×105; "J. Ingres 1842"), fut exécutée pour Guillaume Ier de Würtemberg; passa dans diverses collections et entra en 1925 dans la collection H. Walters de Baltimore, puis au musée homonyme (Baltimore). Le paysage serait peut-être de Paul Flandrin, élève d'Ingres.

131 a

Ce dessin, généralement daté vers 1807, (Mine de plomb et lavis brun, sur papier, 290×400 mm.; Paris, Louvre) est peut-être une première pensée pour le N. 131 a.

131 c   131 d   131 e

130   119×86 *1839*

LA VIERGE À L'ENFANT JÉSUS ENDORMI.

a. [W. 229]. Toile cintrée en haut, cataloguée par Delaborde et ensuite par Wildenstein qui en signale le mauvais état de conservation (comme l'atteste la reproduction photographique subsistante). Lapauze la datait de 1827 l'ayant confondue avec le N. 120: confusion justifiée car cette composition, certainement rattachable à la *Vierge au voile bleu*, se relie aussi à quelques-unes des nombreuses dérivations peintes par des élèves de Raphaël d'après la *Madone au voile* (Paris, Louvre). Momméja avait proposé de la situer vers 1839. L'œuvre semble avoir été découpée.

b. [W. 230]. Une variante de l'Enfant seul (ovale allongé), cataloguée aussi par Delaborde et exposée à la rétrospective de 1867 (avec l'œuvre précédente), fut détruite dans l'incendie de l'hôtel Gatteaux (1871). Présentée comme étude pour l'œuvre ci-dessus, elle paraît plutôt être une copie avec variantes d'où le souvenir de Raphaël est à peu près absent.

131   57×98 1840

ANTIOCHUS ET STRATONICE. Chantilly, Musée Condé.

a. [W. 232]. "J. Ingres F^{at} Rome, 1840". Commandé en 1834 par le duc d'Orléans comme pendant à l'*Assassinat du Duc de Guise* par P. Delaroche (Chantilly, Musée Condé); la duchesse d'Orléans le vendit en 1853, puis le racheta (1863) et le transmit au duc d'Aumale. Le sujet est tiré de la *Vie de Démétrius* (LII) de Plutarque (dont Ingres recopia dans le *cahier X* le passage se rapportant au sujet): Antiochus, fils de Séleucus roi de Syrie (IIIe siècle av. J.-C.), meurt d'amour pour Stratonice, sa jeune belle-mère; il est déjà presque moribond quand le médecin Erasistrate, remarquant son émoi en présence de la femme aimée, découvre la cause de son mal. Ingres pensait à ce sujet depuis 1807 au moins (sujet d'ailleurs très à la mode chez les peintres de l'époque), comme l'atteste un beau dessin du Lou-

vre (290×400 mm.) où la composition reflète le goût austère de Girodet non moins que le *Testament d'Eudamidas* de Poussin (Copenhague, Statens Museum for Kunst) [Sérullaz, "C" 1967]. En 1825, le peintre peut avoir repris le sujet dans une esquisse d'autre part perdue (voir le N. 131b). Il entreprit son travail avec sa ferveur habituelle dont témoignent de nombreux dessins où il peut s'être servi de croquis antérieurs et concernant d'autres projets [*Id.*]. D'après des lettres, nombreuses, [*in* Boyer d'Agen] ce fut un labeur pénible. Le décor, plus pompéien que grec, avait été conçu par Victor Baltard l'architecte des Halles de Paris et Ingres utilisa aussi des documents archéologiques étudiés par Deonna en 1921; Mme Ingres posa pour le personnage du médecin; le peintre H. Flandrin pour les bras d'Antiochus (probablement inspirés [Sérullaz] par ceux du *Marat* de David [1793; Bruxelles, Musées Royaux], ou du même sujet traité par Roques (*id.*; Toulouse, Musée des Augustins); Ingres posa lui-même pour la figure de Séleucus (effondré à genoux, contre le lit). On sait que l'exécution des parties architecturales fut confiée aux frères Balze.

A peine achevée, l'œuvre fut exposée au Palais-Royal et suscita un grand enthousiasme. Le succès se renouvela en 1846 au Bazar Bonne-Nouvelle. Lehmann en parle comme d'un "bijou" et Baudelaire écrit: ".. la *Stratonice* qui eût étonné Poussin". Seul Thoré-Bürger reproche à l'œuvre son manque de relief et de perspective atmosphérique.

b. [W. 164]. Une première pensée (voir plus haut), qu'Amaury-Duval a vue dans l'atelier d'Ingres en 1825, et qui est donc étrangère à la commande de 1834, serait probablement à reconnaître dans la grande esquisse (toile, 155×190) passée par la vente Ingres (1867) et depuis disparue.

c. [W. 224]. Ebauche (toile, 47,4×63,5), avec les quatre personnages posés comme dans l'exemplaire de Chantilly. Passa par la vente Ingres (1867) dont le catalogue indique la date 1834, puis par les collections L. Bazille & A. Kann. Museum of Art of Cleveland.

132 a

d. [W. 295]. Réplique peinte à Meung (papier marouflé sur toile, 35×46; "J. Ingres pxit 1860") avec variantes: l'attitude du médecin est modifiée et deux chiens paraissent au premier plan (ils ne figurent dans aucune autre version). Passages chez différents collectionneurs français et suédois, puis collection R. de Schauensee, Philadelphie.

e. [W. 322]. Autre réplique (toile, 61×92; achetée en 1884 par le musée Fabre de Montpellier). Même composition que la toile de Chantilly mais inversée (comme dans le dessin de 1807 [voir plus haut]); de plus le fond est orné de peintures murales figurant les travaux d'Hercule.

Malgré la signature ("J. Ingres, 1866") et les nombreuses reconnaissances d'authenticité [jusqu'à W.] elle a été en grande partie exécutée par R. Balze, l'élève d'Ingres [Sérullaz, "C" 1967].

f. Etude pour Stratonice (toile, 92×44) rentoilée et repeinte par Balze; restaurée en 1955 [Ternois, "ICPF, 11"]. Musée Ingres à Montauban. Non cité dans Wildenstein. (C)

132   116×84 1841

LA VIERGE A L'HOSTIE. Moscou, Musée Pouchkine.

a. [W. 234]. «A. J. Ingres pinx Rome 1841". La Vierge dérive directement du N. 120, dont le présent tableau est une réplique élaborée et portant une empreinte raphaélesque évidente; elle paraît ici entre saint Alexandre et saint Nicolas, les patrons du futur tzar Alexandre II, qui commanda l'œuvre lors d'un passage à Rome, et de son père. En 1842, jugée insuffisamment orthodoxe, l'œuvre fut reléguée à l'Académie des arts de Saint-Pétersbourg qui la reçut ensuite en don; puis elle passa à l'Ermitage et, en 1939, au musée de Moscou. Le thème repris plusieurs fois, eut un grand succès comme en attestent d'innombrables reproductions lithographiques ou autres,

représentant le type d'image pieuse alors en vogue.

b. [W. 268]. La figure de La Vierge entre saint Louis et sainte Hélène, — hommage tardif peut-être à la famille d'Orléans (voir le N. 132c), — dans une attitude analogue à la précédente (les accessoires sont à peu près identiques aussi). Réplique peinte pour Mme Marcotte (toile, 40×33; "Ingres à Madame Louise Marcotte, 1852"); elle est restée longtemps dans la famille de Mme Marcotte et fait partie maintenant d'une collection particulière à Londres.

c. [W. 276]. Dans la réplique du Louvre (toile, diamètre: 113 cm.; "J. Ingres Pit, 1854") le modèle raphaélesque (voir le N. 95) qui a inspiré la composition ressort encore plus nettement. L'œuvre a été commandée par le ministère de l'Intérieur, à la fin du règne de Louis-Philippe et restée inachevée; proposée par Ingres, à qui une commande était faite par l'Etat en 1851, elle ne fut terminée, à cause des événements politiques, qu'en septembre 1854; appartint ensuite à Napoléon III.

d. [W. 289]. Une réplique peinte en 1859 pour Blanc, avec plusieurs figures d'angelots [Delaborde], et perdue depuis longtemps, a précédé vraisemblablement celle examinée ci-dessous.

e. [W. 296]. La même figure de la Vierge reparaît, — entourée de plusieurs angelots, découlant peut-être du N. 132c, mais caractérisés par le goût anecdotique de l'époque, — dans une réplique (toile, 60×46; "J. Ingres pit 1860"; Londres, collection particulière) dont Ingres annonçait l'exécution en cours par une lettre à Calamatta, envoyée de Meung-sur-Loire le 30 septembre 1860 [in W.]. Vente Kniff (Paris, 1865). Exposée ensuite à la rétrospective de 1867; réapparaît dans deux ventes: à Marseille en 1874, puis à Paris 1909 (acquise par le comte de Boisgelin).

f. [W. 325]. Réplique variée: elle ne comporte plus que deux têtes d'anges et semble signifier ainsi un retour définitif à Raphaël soit par sa composition soit par l'attitude de la Vierge, les mains jointes sur la poitrine. C'est l'une des dernières œuvres d'Ingres (toile, 78×67; "J. Ingres, 1866"). Vendue à la vente après décès de Madame Ingres (1894) où elle fut achetée par Bonnat. Musée Bonnat, Bayonne.

133   105×94 *1842*

LUIGI CHERUBINI ET LA MUSE DE LA POÉSIE LYRIQUE. Paris, Louvre.

132 b   132 c   132 e   132 f

133 a [Pl. XLV]

(A droite) Etude (mine de plomb, papier, 218×136 mm.; "Ing"; Montauban, musée Ingres) pour la figure de la Muse du N. 133 a.

(Au-dessous) Etudes (crayon noir, papier, 250×346 mm.; "Ing"; ibid.) pour le portrait du compositeur dans le même tableau.

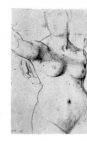

133 b

a. [W. 236]. En bas à gauche: "J. INGRES Pinx. Paris 1842"; en haut: "L. CHERUBINI COMPR. NÉ A FLOR. 1760. Me DE L'INST. Dr DU CONSERVATOIRE"; traces à peine lisibles d'une autre inscription, verticale, près de la colonne à gauche. Le modèle (1760-1842) passa une grande partie de sa vie en France; il fut nommé directeur du conservatoire de Paris en 1822. L'historique de l'œuvre n'est pas encore tout à fait clarifié par rapport à la réplique de Cincinnati (voir plus bas). Vers 1833, Ingres avait peint, ou ébauché, la tête seule du musicien sur une toile d'assez petit format; l'œuvre peut être restée chez Cherubini pendant le second séjour à Rome (1835-41) d'Ingres puisque, à son retour en France, Ingres l'aurait demandée pour la "retoucher". Mais le peintre semble en fait l'avoir emportée avec lui à Rome où il y aurait fait peindre les mains comme sur la réplique de Cincinnati (peut-être antérieure à 1841), et l'avoir reprise ensuite pour l'agrandir et ajouter la figure de la Muse. Dans une lettre à Gatteaux (5.IX.1840) annonçant son retour à Paris, Ingres écrit en effet: "J'apporterai avec moi le portrait de Cherubini ..." (mais laquelle des deux versions? les deux peut-être?). L'histoire à ce point se complique encore plus: la réplique de Cincinnati a été peinte à Rome, — en tout cas après 1833 et avant la fin de 1841 [Ternois "C" 1967]; elle a été exécutée, en grande partie du moins, par Lehmann, élève d'Ingres, et sous la direction de ce dernier; en l'absence du modèle, Lehmann peignit les mains d'après celles de Gounod (arrivé à Rome en 1839, ce qui donne une date limite pour

le début du travail). C'est du moins ce que rapporte Ch. Blanc qui de plus attribue à Lehmann l'ébauche de la figure de la Muse. Comme celle-ci n'apparaît pas sur la toile de Cincinnati, on peut logiquement penser [Ternois] que Blanc parle en réalité de la version du Louvre. Il est en tout cas certain que la Muse a été dessinée à Rome d'abord d'après Mme Desgoffe, femme de l'élève d'Ingres, puis d'après Mlle de Rayneval, sœur du premier secrétaire de l'ambassade de France [Id.] Cette Muse pourrait bien avoir été peinte par un élève, Lehmann probablement, bien qu'une anecdote rapportée par Amaury-Duval semble confirmer l'intervention personnelle d'Ingres. D'autre part, cette figure est peinte avec un excès d'huile et, en partie, avec du bitume (d'où le réseau de craquelures, qui nuit aussi à un jugement sûr; c'est sans doute à ces craquelures que se réfère l'inscription placée au dos, sur le châssis: "L'auteur de ce tableau désire que jamais le vernis n'en soit enlevé car ce serait le détruire"); or on sait d'autre part qu'Ingres n'a jamais employé le bitume... En

somme, les incertitudes sont nombreuses et la constitution de la toile révèle que les manipulations et modifications ne manquèrent pas: la tête du compositeur est peinte sur un morceau de toile (33×30) incrusté dans l'ensemble; une bande de toile (6 cm.) a été ajoutée en haut; et une autre a dû être ajoutée à gauche.

De nombreux dessins (dix-huit au seul musée de Montauban) documentent la longue gestation de cette œuvre. Une esquisse présente Cherubini avec deux figures féminines; le nom des Muses qui pourraient l'accompagner est noté sur une autre. En 1842, Ingres fit une exposition privée du portrait dans son atelier; elle eut un grand succès mondain dû sans doute en grande partie à la célébrité de Cherubini. Après la mort de Cherubini, la même année, Louis-Philippe acheta le portrait pour 8.000 francs; il passa ensuite au Luxembourg et de là, en 1874, au Louvre. L'œuvre fut exposée aux rétrospectives de 1855 et de 1867 et on en loua généralement la vérité naturaliste, la noblesse de l'allégorie, etc.; Blanc explique même pourquoi Ingres ne prit pas la

peine de mettre en harmonie le caractère réaliste du portrait avec celui idéalisé de la Muse, et lui préféra le contraste entre la vitalité énergique de l'un et l'irréalité symbolique de l'autre. Il faut reconnaître que le rythme très médité observé dans le décalage des deux figures réalise pleinement l'unité harmonieuse de la composition.

b. [W. 235]. La réplique citée plus haut, (toile, 82×71; "J. Ingres pinx. 1841") resta dans la famille de Cherubini; acquise par Havemeyer, puis par Emery qui la légua au Taft Museum de Cincinnati.

134 ⊞ ◉ 158×122 1842 ▤ ⦂

FERDINAND - PHILIPPE, DUC D'ORLÉANS. Louveciennes, Collection Monseigneur le Comte de Paris.

a. [W. 239]. "J. Ingres Pxit Paris 1842" (en bas, à gauche). Le duc d'Orléans (1810-1842) était le fils aîné de Louis-Philippe, très populaire "par la bravoure, par l'aménité cordiale et charmante de sa personne" [V. Hugo]. Il écrivit lui-même à Ingres, alors (1840) à Rome pour lui demander de faire son portrait; les séances de pose commencèrent en novembre 1841 aux Tuileries malgré le peu d'enthousiasme du peintre (qui cependant subit vite le charme du modèle); l'œuvre était terminée dès avril 1842. Quelques dessins, — le peu qui subsiste du grand nombre de ceux qui périrent dans l'incendie de l'hôtel Gatteaux (la prétendue ébauche signalée par Wildenstein ["GBA" 1956] dans la collection du prince Paul de Yougoslavie n'est toutefois pas à inclure dans la liste des travaux préparatoires car doit être plutôt un travail d'atelier [Ternois, "C" 1967]), —révèlent quelque hésitation initiale quant au choix de la pose des mains et du bicorne; mais la ligne générale de l'ensemble semble avoir été fixée tout de suite. Présenté dans une exposition privée à l'atelier d'Ingres à l'Institut, le tableau suscita une admiration déférente, en particulier pour l'acuité de l'expression psycho-

logique et l'élégance de sa présentation: Thoré-Bürger critique pourtant le menton trop prononcé et Blanc reproche quelque lourdeur au visage. En réalité, c'est un "morceau" extraordinaire, du point de vue formel aussi, par le rapport magistralement équilibré des lignes horizontales et verticales, et par la fusion intime du coloris et du clair-obscur.

La personnalité du modèle provoqua vite la demande de répliques, demande accrue encore après la disparition tragique du prince (13.VII.1842) à la suite de son accident sur la route de Neuilly. On ignore le nombre de ces copies: Delaborde en cite deux; Lapauze, sept; Wildenstein [1954], six auxquelles il en ajoute ensuite autant ["GBA" 1956]; selon P. Angrand [in Ternois] il y en aurait dix-neuf (non publiées encore). Les premières signalées par Wildenstein restent les plus sûres, bien qu'il reste à établir exactement dans quelle mesure elles sont autographes. Il est en effet probable que le peintre se limita à surveiller l'exécution des copies et à les retoucher au besoin; d'autre part, il ne mentionne lui-même que deux répliques dans ses *cahiers*.

b. [W. 240]. La toile ovale avec le portrait en buste (65×50; "Ingres Pxit, Paris 1842", legs Gillet au musée des Beaux-Arts de Lyon, est sans doute antérieure à la mort du prince [Ternois]; c'est en tout cas une des plus anciennes, et une des meilleures copies connues.

c. [W. 241]. Réplique analogue à la précédente, mais avec une variante (le duc porte un manteau: allusion peut-être à la campagne d'Algérie à laquelle il avait pris part en 1834), léguée (1917) à la Tate Gallery (en dépôt à la National Gallery) à Londres toile, 54×45; "Ingres"). C'est une des premières copies et une des meilleures; elle est sans doute antérieure aussi à la mort du modèle [Ternois].

d. [W. 242]. La version (toile, 156×120,6; "J. Ingres, 1843") acquise en 1844, — notée par Ingres, — par le roi Louis-Philippe pour être placée à Versail-

134 a [Pl. XLIII-XLIV]

134 d

134 f

134 e

134 g

134 b

134 c

134 h

les où elle est actuellement, serait à identifier avec celle commandée pour le ministère de l'Intérieur. Ovale à l'origine, elle a été rendue rectangulaire, par un élève probablement, et présente le modèle sur un décor de parc; toutefois la signature placée sur la partie ajoutée prouve le contrôle personnel qu'exerça Ingres sur la modification [Ternois]; elle est d'ailleurs de qualité élevée.

En juillet 1843, Ingres reçut la commande de cinq copies de cet exemplaire: les deux que nous examinons à la suite peuvent faire partie de ce groupe [*Id.*].

e. [W. 243]. Copie probable de la version précédente (toile, 154×119; "J. Ingres, 1843"), musée de Perpignan.

f. Autre copie possible du N. 134d (toile, 156×123), non citée dans Wildenstein. Don du Conseil général de la Haute-Vienne (1851) au musée de Limoges.

g. [W. 245]. Version avec la figure entière (toile, 218×131; "J. Ingres pxit, 1844"), commandée par Louis-Philippe pour Versailles où elle se trouve; c'est probablement la seconde des deux copies citées par Ingres (voir plus haut). Elle est comme l'autre de bonne qualité.

h. [W. 244]. Réplique en buste, ovale peut-être à l'origine (toile, 72×40; "Ingres, 1844") donnée par la reine Marie-Amélie à J.-Ch. Guérard qui avait été précepteur du prince; acquise par Wildenstein, elle est maintenant au Wadsworth Atheneum de Hartford. Elle a peut-être été peinte par l'élève qui collabora à l'exécution du N. 134c. La référence à la note du *cahier X* d'Ingres proposée par Wildenstein pour cette œuvre semble moins appropriée que pour l'une des deux versions de Versailles.

Cartons pour les vitraux de Paris

Ce cycle a pour origine la mort tragique (13.VII.1842) de Ferdinand-Philippe, duc d'Orléans (voir le N. 134a): les cartons servirent à l'exécution des vitraux de la Chapelle commémorative Saint-Ferdinand, mise sous la protection de Notre-Dame de la Compassion, que Louis-Philippe fit ériger par son architecte Fontaine sur le lieu même de l'accident, route de Neuilly, dans la plaine des Sablons (aujourd'hui boulevard Pershing, à Paris [XVIIe arrdt.]; depuis 1971, la chapelle a été transférée place de la Porte des Ternes). On avait d'abord pensé à un travail collectif, avec la collaboration de plusieurs peintres, dont Ingres ne faisait d'ailleurs pas partie; mais dès le 26 juillet le roi imposait Ingres seul (le prix, convenu et modique, était de 15.000 francs) et au mois d'août Ingres était au travail; le 22 août, il avait déjà fixé toutes les compositions, bien qu'il n'eût pas encore entrepris l'exécution. Dès septembre 1842, la fabrication des vitraux était commencé à la manufacture de Sèvres, et terminée le Ier juillet 1843; douze jours après, anniversaire de l'accident, avait lieu l'inauguration de la chapelle [Foucart, "C" 1967]. Le programme comprend dix-sept vitraux; en se référant aux lettres adoptées cidessous pour désigner chaque carton, les vitraux se distribuent ainsi: au-dessus de l'entrée de la chapelle, *la Foi* (A); dans la nef, à gauche: *Saint Clément*, *Sainte Rosalie*, *Saint Antoine* (B, C, D), et à droite, *Saint François*, *Sainte Adélaïde*, *Saint Raphaël* (E, F, G); dans le transept nord, *Saint Charles* et *Saint Robert* de chaque côté de *la Charité* (H, J, I); dans l'autre transept, *Sainte Hélène* et *Saint Henri* de chaque côté de l'*Espérance* (K, M, L); dans le chœur, à gauche, *Saint Louis* et *Saint Philippe* (N, O), et à droite, *Sainte Amélie* et *Saint Ferdinand* (P, Q). Chaque figure est dressée sur un socle avec un cartel qui porte le nom latin du personnage.

Après avoir été utilisés à Sèvres, ces cartons et ceux de Dreux (N. 136) furent exposés au musée du Luxembourg, mais à partir de 1847 seulement, c'est-à-dire après achèvement, sous la surveillance d'Ingres, des encadrements, tous semblables: cette identité avait permis de ne pas les terminer tous afin de les livrer plus rapidement à Sèvres (pour la même raison le bleu des fonds, commun à toute la série, ne fut prévu que sur quelques cartons). En 1848 ["LA" 12.III] les deux cycles furent mis en réserve au Louvre à cause de la Révolution, car quelques saints avaient les traits de membres de la famille royale (voir ci-dessous); exposés de nouveau au Luxembourg en 1852, ils furent transférés au Louvre en 1874 (Cabinet des dessins); ils cessèrent d'être exposés vers 1910 et furent mis dans les réserves. Si bien que presque tous les historiens récents finirent par les oublier à l'exception de Perrault-Dabot [1933] et de Schlenoff [1956]. L'exposition du centenaire (Petit Palais 1967) les a reproposés à l'attention, grâce à Jacques Foucart; et il faut souhaiter qu'ils retrouvent une place digne d'eux dans la nouvelle organisation du Louvre. Il faut d'ailleurs reconnaître qu'ils avaient peu intéressé les exégètes plus anciens, sauf Blanc [1870] et R. de Montesquiou ["AD" 1911]. Comme le remarque justement Foucart, ils offrent pourtant bien des motifs d'intérêt, en particulier par les simplifications iconographiques, souvent très heureuses, obtenues en renonçant à la plupart des attributs traditionnels; stylisations qui, parfois, font pressentir certains aboutissements de la peinture ultérieure et même de la peinture contemporaine, ou presque. En outre Ingres ouvrit de nouvelles voies à l'art du vitrail en rompant d'une part avec l'usage des vitraux épais teints dans la masse, cernés d'une lourde sertissure de plomb en honneur depuis le Moyen Age, et en refusant d'autre part les effets illusionnistes d'un procédé tendant à imiter la peinture de chevalet et qui étaient devenus courants au XIXe siècle chez les verriers comme chez les tapissiers. Il s'agit en effet d'un type de vitrail moderne, mis au point à Sèvres sous l'impulsion de Brongniart: l'emploi du verre blanc peint au pinceau (parfois des deux côtés) avec des couleurs très fluides, semblables à celles des peintres sur porcelaine ou sur émail, et cuit à un feu de moufle. Ce traitement conserve toute leur lisibilité aux lignes et toute sa pureté au coloris. D'où dans les cartons, l'épaisseur des traits préparatoires à la pierre noire, tandis que la peinture à l'huile est si transparente et délicate qu'on a pu la prendre pour de la détrempe retouchée à l'huile ou pour de l'aquarelle (de ce fait ils avaient été classés à tort comme des dessins et donc omis par Wildenstein). Les annotations autographes sur les cartons (lisibles mais parfois difficiles à interpréter), destinées aux artistes verriers, et la surveillance personnelle d'Ingres pendant l'exécution des travaux à Sèvres, prouvent son intérêt de novateur. Les cartons ont aussi le mérite de s'affranchir presque complètement du néo-gothique comme le montrent le choix des éléments romano-byzantins et le goût des encadrements de style gothique mais très simple: tous éléments qui, bien au-delà du décor extérieur, imprègnent la structure même des figures et le système chromatique dont se dégage, écrit Montesquiou, "une magnificence très simple et très calme". Comme toujours quand il s'agit d'Ingres, ces résultats découlent d'un travail préparatoire considérable bien que rapide, attesté par nombre de dessins dont la plupart ont malheureusement disparu dans l'incendie de l'hôtel Gatteaux (il n'en reste que très peu). Les vitraux seront bientôt visibles de nouveau: des travaux de restauration sont actuellement en cours pour réparer les deux qui ont été brisés. Les signes conventionnels précédant les deux premières notices ne sont pas répétés: en effet ceux de A sont valables pour les *tondi* I et L, et ceux de B conviennent à tous les cartons rectangulaires. La date et la signature sont mentionnées dans le texte même de la notice quand on les connaît.

135 diam. 110 1842

A. LA FOI.

"Ingres fecit" (en bas, à gauche); autres inscriptions illisibles en haut, à gauche. Fond bleu peint. Les sources inspiratrices de ce médaillon et des deux autres (N. 135 I et L) sont les *Vertus Théologales* du retable Baglioni de Raphaël (Rome, Pinacoteca Vaticana). Ici Ingres a fait ressortir les lignes du visage, mis en relief par l'uniformité abstraite du fond (dans un dessin du musée de Montauban, Ingres avait projeté de placer la Foi près d'une colonne; elle a été supprimée dans le dessin définitif). La figure prend ainsi un aspect "plus olympien que chrétien" [Foucart]. Dans le vitrail, l'hostie est plus petite et son auréole plus large au contraire que dans le carton [*Id.*].

135 210×92 1842

B. SAINT CLÉMENT, ÉVÊQUE D'ALEXANDRIE.

Le saint était le patron de Marie-Clémentine (Mlle de Beaujolais), fille de Louis-Philippe, qui devint duchesse de Saxe-Cobourg. Le personnage, représenté sans attributs sinon ses vêtements épiscopaux, inspirés de l'antiquité chrétienne, s'inscrit dans une mandorle idéale d'où émergent, assez maladroitement, les mains. Ce morceau est un des moins bien réussis de la série.

C. SAINTE ROSALIE, VIERGE.

"J. Ingres inv. et fecit 1842" (en bas, à gauche); autres annotations autographes: "blond / fond bleu / bandes noires" (à gauche), etc. La sainte est la protectrice de Palerme, ville natale du duc Ferdinand-Philippe. Aucun attribut traditionnel sauf la robe de sparterie revêtue aussi par la Madeleine dont Rosalie a voulu suivre l'exemple. La stylisation très pure de la figure est bien typique d'Ingres. Repentir visible près du pied à droite.

D. SAINT ANTOINE DE PADOUE.

"J. Ingres fecit 1842" (en bas, à gauche); annotation pour les peintres verriers visible en haut, à droite. Le saint, patron du cinquième fils de Louis-Philippe, Antoine, duc de Montpensier, et de Victoire-Antoinette de Saxe-Cobourg, femme du duc de Nemours, autre fils du roi, est représenté avec quelques-uns de ses attributs traditionnels: robe franciscaine, lys, Enfant Jésus, qui concourent au conformisme du groupe.

E. SAINT FRANÇOIS D'ASSISE.

"Ingres inv. et fecit ..." (en bas, à gauche); plusieurs annotations sur le fond, en particulier à gauche. Le saint était le patron du troisième fils de Louis-Philippe, François-Ferdinand, prince de Joinville, et de sa sœur aînée, Marie-Christine-Françoise (Mlle de Valois), qui devint duchesse de Wurtemberg. La représentation du saint en attitude de contrition violente et douloureuse est un essai de rénovation iconographique; mais le résultat n'est pas heureux, l'expression du drame restant un facteur externe et ne modifiant pas la structure formelle.

F. SAINTE ADÉLAÏDE, IMPÉRATRICE D'ALLEMAGNE.

"J. Ingres inv. et fecit [?] 1842" (en bas, à gauche; le fond bleu gêne la lecture). La sainte, épouse de l'empereur Othon Ier, était la patronne de Madame Adélaïde, sœur de Louis-Philippe. Outre les emblèmes impériaux, couronne, sceptre, globe, Ingres n'a conservé des attributs traditionnels de la sainte que le livre de prières et la pièce d'or (dans la main droite), symbole de l'aumône [Montesquiou]. La netteté des plis verticaux accentue la flexibilité de la figure: interprétation animée de la statuaire gothique que la polychromie avec son jeu audacieux de verts, bleus, violets rend plus vive encore.

G. SAINT RAPHAËL, ARCHANGE.

Le fond bleu peut dissimuler une signature (le vitrail correspondant porte: "Ingres invenit et fecit. Manufacture R.le de Sèvres 1842"). L'archange était le patron du second fils de Louis-Philippe, Louis-Charles-Philippe-Raphaël, duc de Nemours. C'est de l'avis des rares exégètes le plus beau morceau de la série: allégée par la suppression des attributs usuels, remplacés par un pectoral à croix d'interprétation difficile [cf. Foucart]) la stylisation atteint ici la perfection tout en conservant un modelé assez concret. Schlenoff indique une affinité de la figure avec la Victoire de l'*Apothéose d'Homère* (N. 121a); on peut y voir une influence générale de Raphaël mais sans l'étendre au coloris: la robe angélique aux reflets changeants vert pâle et mauve (encore plus remarquable dans le vitrail) est bien un exemple magnifique de la volonté rénovatrice d'Ingres. Repentir dans le profil interne du pied, à droite.

H. SAINT CHARLES BORROMÉE, ARCHEVÊQUE DE MILAN.

"J. Ingres inv. et fecit 1842" (en bas, à gauche); longues annotations pour les verriers visibles en bas, à gauche. Le saint était le patron de la seconde fille de Louis-Philippe, Louise-Marie-Charlotte, qui devint reine des Belges. Ici encore le personnage bien individualisé par les traits de la physionomie ne porte aucun attribut spécial sauf l'habit épiscopal. Le recours à des modèles du XVIIe siècle, par souci d'exactitude documentaire, a abouti ici à une figure assez impersonnelle.

I. LA CHARITÉ.

A droite, une annotation pour les peintres verriers: "les lampes, blanches". Fond bleu peint. Malgré les emprunts évidents au Raphaël du tondo Baglioni (voir N. 135A) et de la *Madone aux candélabres* (Baltimore, Walters Art Gallery), — cette dernière élaborée par Ingres dans l'une des versions de la récente *Vierge à l'hostie* (N. 132), — ce morceau est un des plus originaux de la série: par la vigueur et la pureté des lignes qui annoncent Puvis de Chavannes et même Fernand Léger [Foucart], et par la netteté du coloris, par grandes masses, qui s'adapte parfaitement à la composition.

J. SAINT ROBERT, EVÊQUE DE WORMS.

"J. Ingres fecit, 1842" (en bas, à gauche). Le saint était le patron de Robert-Philippe, duc de Chartres, fils de Ferdinand d'Orléans. Le personnage, revêtu des habits épiscopaux, de style gothique, présente le livre qui fait partie de ses attributs traditionnels. La composition reste statique malgré la tentative de l'animer par le jeu des plis et de la bande verticale de la chape (empruntée à la peinture du XVe siècle).

K. SAINTE HÉLÈNE, IMPÉRATRICE.

"J. Ingres fecit 1842" (en bas, à gauche); et: "la tunique de drap d'or, très brillante" (note à peine lisible à droite, en bas). La sainte, — que l'on reconnaît à la Croix qu'elle découvrit, et au médaillon représentant le Christ, ainsi qu'à ses ornements impériaux, — était la patronne de la princesse de Mecklembourg-Schwerin, Hélène-Louise-Elisabeth, épouse du duc Ferdinand-Philippe d'Orléans dont elle a ici très traits. L'image séduit par le contraste entre la coiffure, si romantiquement "Louis-Philippe" et la somptuo-

 135 A

 135 B  135 C — 135 D  135 E

 135 F  135 G  135 H 135 I  135 J

 135 K  135 L  135 M  135 N 135 O

 135 P  135 Q  136 A 136 B 136 C

 136 D  136 E  136 F  136 G  136 H

sité byzantine de la robe et du médaillon, d'une exactitude archéologique scrupuleuse. Très justement Foucart y voit une anticipation de Gustave Moreau.

L. L'ESPÉRANCE.

En haut, quelques annotations pour les peintres verriers, mais le sens n'en est pas très clair. Fond bleu peint. Le modèle iconographique est comme pour les autres Vertus, le pala Baglioni N. 135 A) de Raphaël; mais la traduction d'Ingres est très libre: il substitue au personnage en prière, mains jointes, l'orante aux bras écartés de l'antiquité chrétienne [Foucart]; la lueur blanche, en haut dans l'angle droit, est aussi une innovation par rapport à la couronne ou au soleil traditionnels. En 1855, About remarquait que le bras à gauche "ne tient à l'épaule que par une sorte de miracle" tout en reconnaissant le geste "magnifique" et "l'erreur de dessin évidemment volontaire"; selon le critique, la solution adoptée ici rend "sublime la résignation confiante" de la figure.

M. SAINT HENRI, EMPEREUR D'ALLEMAGNE.

"J. Ingres fecit 1842" (en bas, à gauche). Le saint est (sauf confusion entre les différents monarques homonymes) Henri II, seul empereur du reste; l'inscription en bas précise bien l'identité du personnage dans ce sens: "S.us HENRICVS IMPERATOR") patron du troisième fils de Louis-Philippe, Henri Eugène, duc d'Aumale (donateur du Musée Condé, à Chantilly). La figure semble inspirée de la peinture nordique du XVe siècle plutôt que de la statuaire gothique: mais malgré les stylisations réalisées, le résultat final est assez médiocre. Repentirs visibles sous la ligne de l'humérus à gauche, et le long du bord de la tunique et du pied à droite.

N. SAINT LOUIS, ROI DE FRANCE.

"J. Ingres inv. et Pinx. 1842"; annotation, en haut, du même côté. Patron du roi Louis-Philippe et de son petit-fils, Louis-Philippe-Albert, comte de Paris, fils aîné de Ferdinand d'Orléans, le saint porte les attributs royaux, et les symboles de la Passion (couronne d'épines, clous, voile) également traditionnels.

O. SAINT PHILIPPE, APÔTRE.

"J. Ingres inv. et fecit 1842" (en bas, à gauche); notes pour les peintres verriers. Autre patron de Louis-Philippe et de plusieurs membres de la famille royale. Réduite à une expression iconographiquement anonyme, la figure est une des moins heureuses du cycle.

P. SAINTE AMÉLIE, REINE DE HONGRIE.

"J. Ingres fecit 1842" (en bas, à gauche). La sainte était la patronne de Marie-Amélie de Bourbon, princesse des Deux-Siciles, épouse de Louis-Philippe. Ses traits sont ceux de la reine elle-même. La fleur qui pend de ses mains est sans doute une allusion à la mort de son fils Ferdinand [Foucart]. Une fois encore, Ingres s'inspire ici de la statuaire gothique mais en pleine liberté et tout

en laissant bien entendre que la similitude des modèles n'est qu'apparente. La chute de plis serrés drapant le haut du bras à droite révèle bien son intention et compense heureusement le côté trop statique de la composition.

Q. SAINT FERDINAND, ROI DE CASTILLE ET DE LEÓN.

"J. Ingres fecit 1842" (en bas, à gauche). Le saint était le patron de Ferdinand d'Orléans dont il présente les traits. L'intérêt de la composition réside surtout dans le contraste entre la forte personnalité du visage (d'autant plus frappante qu'elle rappelle le portrait du duc exécuté peu avant [N. 134a]) et l'exactitude archéologique dont est empreint le reste de la figure.

Cartons pour les vitraux de Dreux

La chapelle royale de Dreux (Eure-et-Loir), dédiée à saint Louis, avait été commencée par Madame Adélaïde et terminée par son fils, le roi Louis-Philippe. Elle est édifiée dans l'enceinte du château et abrite les sépultures de la maison d'Orléans. Comme pour la chapelle Saint-Ferdinand, c'est après avoir consulté d'autres peintres, dont Delacroix, qu'Ingres fut appelé (1843). Douze vitraux devaient être exécutés d'après les dessins d'Ingres, quatre cartons de Saint-Ferdinand devant resservir à Dreux, bien que le format des vitraux de la chapelle Saint-Louis fût un peu plus réduit: 175×86. Ceux-ci occupent, trois par trois, les verrières du fond du transept de la chapelle haute: à gauche, *Sainte Geneviève, Saint Denis, Sainte Clotilde* (N. 136 A, B, C) et *Saint Ferdinand, Sainte Amélie, Saint Philippe* (N. 135 Q, 135 P, 135 O); à droite, *Saint Louis, Sainte Isabelle, Saint Germain* (N. 135 N; N. 136 D, E), et *Sainte Radegonde, Saint Rémi, Sainte Bathilde* (N. 136 F, G, H). Le travail d'Ingres fut exécuté rapidement ici aussi, ce qui ne nuisit pas aux résultats, — encore meilleurs qu'à Paris. La finition, peut-être plus grande, requit un usage plus étendu de la peinture à l'huile que dans les autres cartons: les vitraux de Dreux devaient en effet donner l'illusion de peintures, procédé heureusement évité dans le cycle parisien. D'autre part, tandis que les encadrements dessinés par Ingres pour les cartons de Saint-Ferdinand furent reproduits tels quels, ceux de Dreux, semblables à l'origine à ceux de Paris, furent remplacés dans les vitraux par des bordures d'inspiration bizarrement gothique, bien que Viollet-le-Duc, leur auteur, soit bien connu pour ses scrupules archéologiques; dans la nouvelle décoration, les petites bases supportant les figures sont supprimées. Les vitraux étaient en place pour l'inauguration de la chapelle, le 13 juillet 1844. Plusieurs de ces cartons furent reproduits en tapisserie à la manufacture des Gobelins (1848-49). Les signes conventionnels placés en tête de la première notice sont valables pour les autres. (Pour tout autre renseignement, voir l'introduction au N. 135).

136 ⊞ ◐ 210×92 1844 ▦ ⋮

A. SAINTE GENEVIÈVE, PATRONNE DE PARIS.

"J. Ingres Pinxit 1844" (en bas, le bit de crayon" (à gauche). Les attributs traditionnels de la sainte, la houlette de berger et le mouton, sont placés discrètement derrière elle; sainte Geneviève tient la médaille ornée d'une croix que l'évêque, saint Germain, lui remit (la sainte est généralement représentée avec cette médaille au cou). La composition est rigoureusement ordonnée, animée par un coloris intense et sensible aux variations de la lumière.

B. SAINT DENIS, PREMIER ÉVÊQUE DE PARIS.

"J. Ingres Pinxit 1844" (en bas, à gauche). L'iconographie traditionnelle du saint a été simplifiée ici à l'extrême: le saint n'est même pas décapité. L'effet dramatique de la composition est intensifié par des contrastes vigoureux d'éclairage.

C. SAINTE CLOTILDE, FEMME DE CLOVIS.

"J. Ingres Pinxit 1844" (en bas, à gauche, gure de la sainte n'est accompagnée que d'attributs généraux, la croix et le sceptre; le peintre a renoncé aux attributs traditionnels. Elle serait donc difficilement identifiable sans le cartouche portant son nom. La composition, évocatrice des statues-colonnes, est animée par le coloris profond qui rend plus suggestif le mélange déconcertant d'éléments iconographiques gothiques et byzantins.

D. SAINTE ISABELLE DE FRANCE.

112

140 a

"J. Ingres. 1844" (en bas, à gauche). La sœur de saint Louis, fondatrice du couvent des Clarisses de Longchamp, n'a conservé ici de ses attributs traditionnels que son habit de franciscaine et sa couronne.

E. SAINT GERMAIN, ÉVÊQUE DE PARIS.

"J. Ingres Pxt 1844" (en bas, à gauche). Le fondateur de l'abbaye de Saint-Germain-des-Prés ne serait pas identifiable sans son nom sur le cartouche. Vision austère qui témoigne de l'intérêt d'Ingres pour l'antiquité chrétienne [Foucart, "C" 1967].

F. SAINTE RADEGONDE DE POITIERS.

"J. Ingres Pxit 1844" (en bas, à gauche). Des attributs de l'épouse de Clotaire Ier, fondatrice du couvent Sainte-Croix à Poitiers, ne subsistent que le sceptre et la couronne.

137

G. SAINT RÉMI, ÉVÊQUE DE REIMS.

"J. Ingres pxit 1844" (en bas, à gauche); et à côté, une note pour les peintres verriers: "la doublure de la chape, violet clair au lieu de verte". L'évêque est représenté avec la colombe traditionnelle porteuse de la sainte Ampoule. Un des meilleurs morceaux du cycle grâce à l'animation intime de la composition.

H. SAINTE BATHILDE DE CHELLES.

"J. Ingres pxit 1844" (en bas, à gauche). Indiquée parfois par erreur comme sainte Mathilde; il s'agit en réalité de l'épouse de Clovis II (comme l'indiquent la couronne, et le sceptre que recouvre curieusement en partie un repentir), fondatrice de l'abbaye de Chelles (elle tient une discipline, attribut inhabituel de son iconographie, symbole de sa foi [F.]). Si la pose hanchée et le visage lisse sont caractéristiques d'Ingres quand il s'abandonne au gothique troubadour, la polychromie fondée sur des tons sourds et au-

140 b

dacieusement contrastés, rappelle le meilleur Ingres, celui des compositions et des portraits les plus fascinants.

---

137 ⊞ ◐ 40,7×32,7 1844 ▦ ⋮

EDMOND CAVÉ. New York, Metropolitan Museum.

[W. 246]. "Ingres à Madame Cavé. 1844" (en bas, à droite). Cavé (1794-1852) était directeur des Beaux-Arts au ministère de l'Intérieur depuis 1839. Le portrait resta dans sa famille jusqu'en 1911; après quelques changements de propriétaires, l'œuvre a été acquise en 1926 par Mrs Grace Rainey Rogers (New York) qui l'a léguée (1943), avec son pendant (N. 138), au Metropolitan Museum. Ebauche rapide qui laisse transparaître le trait de crayon: réalisation frappante et très spontanée (voir N. 138).

138 [Pl. XLVII]

138 ⊞ ◐ 40,6×32,7 1844 ▦ ⋮

MADAME CAVÉ. New York, Metropolitan Museum.

[W. 247]. "Ingres à Madame Cavé" (en bas, à droite). Le modèle, Marie-Elisabeth Blavot, amie de Delacroix ainsi que d'Ingres, avait épousé Clément Boulanger, élève de ce dernier. Veuve en 1842, elle épousa Edmond Cavé (N. 137) en 1844, année de ce portrait. Aquarelliste, elle publia deux traités (1850 et 1851) didactiques qui eurent une grande influence.

La présente peinture a été assez longtemps réduite à une présentation ovale qui ne devait pas correspondre à la conception originale; même historique que le N. 137. Comme son pendant, ce portrait est d'une intense spontanéité: l'œuvre d'un peintre pour un autre peintre capable d'en comprendre les valeurs réelles sans souci de décor luxueux, accessoires, etc.; la dédicace qui accompagne les deux tableaux a en ce sens une signification tout à fait particulière.

139 ⊞ ◐ 131,8×92 1845 ▦ ⋮

LA COMTESSE D'HAUSSONVILLE. New York, Frick Collection.

a. [W. 248]. "Ingres, 1845". Le modèle, Louise de Broglie (1818-82) épousa (1836) le vicomte d'Haussonville, député, sénateur, historien, et membre de l'Académie française; elle était la belle-sœur de la princesse de Broglie (voir le N. 151). Le portrait, après être longtemps resté dans la famille d'Haussonville, fut acquis par la galerie Wildenstein (1927) puis entra aussitôt dans la Frick Collection. Ingres accepta d'exécuter le portrait en 1842 et commença une série d'études où l'on note une première pensée du modèle posé comme dans le portrait définitif (c'est l'attitude classique de la *Pudicité*, marbre antique des Giustiniani à Rome). Ingres avait dû étudier

---

cette statue en 1834-40 et il s'en était déjà servi pour la figure de Stratonice [voir le N. 131a], mais tourné vers la droite (voir ci-dessous); le miroir et la belle nature morte de fleurs et de bibelots (toujours dans la famille du modèle) se rattachent au contraire à un projet ultérieur. Il en existe une belle copie, par Balze, restée dans la famille du modèle.

b. [W. 238]. Du groupe des travaux préliminaires (voir ci-dessus) se détache cette ébauche (toile ovale, 80×61,9; v. 1842) d'une grande sensibilité, quoique retouchée (par Balze?). Léguée par Ingres à R. Balze qui la vendit (25.000 francs) au comte d'Haussonville. Collection particulière, Paris.

140 ⊞ ◐ 29×23 *1845*? ▦ ⋮

PAOLO ET FRANCESCA. Glens Falls (New York), Collection Hyde.

a. [W. 122]. Parut à la vente du Taillis (Paris, 1865). Reprend en substance le thème, et en partie la composition du N. 80a mais les amants sont seuls, ils sont plus rapprochés et intervertis; les accessoires ont plus d'importance, le lutrin en particulier. Chronologie difficile à établir. Serait à dater de 1820 environ selon Wildenstein; mais pourrait être très postérieur en tenant compte de ses affinités de structure et de style avec le N. 80d.

b. [W. 282]. Une réplique (toile, 28×23; "Ingres"; autrefois collection Faré, Paris; vente chez Sotheby, Londres 30.XI.1966 [en fait, retirée de la vente]) à identifier probablement avec une des peintures qu'Ingres note avoir exécutées à Meung-sur-Loire vers 1856-57. On distingue dans le fond la figure de Gianciotto.

c. Autre composition analogue (mais sans le lutrin et les autres accessoires; on entrevoit la figure de Gianciotto au fond) reproduite par N. Schlenoff [1956] comme œuvre autographe, mais sans autres informations. Non citée dans Wildenstein.

141 ⊞ ◐ 68×52 1845? ▦ ⋮

LA REINE MARIE-AMÉLIE. Paris, Musée des Arts Décoratifs.

"Ingres 1845" (en bas). Le portrait de l'épouse de Louis-Philippe se présente sous forme de camée ou de bas-relief, en grisaille sur fond vieil or. Pendant du N. 142. Les deux œuvres ont été données (1924) au musée par David-Weill. Wildenstein ne les a pas cataloguées; elles restèrent d'ailleurs pratiquement inconnues jusqu'à leur exposition au Palais Strozzi à Florence (1959), puis (1967) au musée Ingres, Montauban; de plus elles ne sont pas mentionnées par Ingres dans ses propres *cahiers*; il n'est donc pas exclu qu'il s'agisse de faux ou de contrefaçons dues à un élève (cf. Lapauze, *Les faux Ingres*, "La Renaissance", 1918).

142 ⊞ ◐ 68×52 1845? ▦ ⋮

HÉLÈNE, DUCHESSE D'ORLÉANS. Paris, Musée des Arts Décoratifs.

"Ingres 1845" (en bas). Le modèle était l'épouse du duc Ferdinand (voir le N. 134a). Pendant du N. 141.

139 a [Pl. IL]

139 b

141

142

143

144 a

(A gauche) Etude d'ensemble (encre de chine et lavis brun avec rehauts de blanc, sur papier calque, 510×650 mm.; "Ingres à son ami Sturler"; Lyon, Musée des Beaux-Arts) pour le N. 144 a. - (A droite) Dessin (crayon sur papier, 416×315 mm.; "Ingres" [en bas, à gauche], et: "cuisses un peu longues" [à droite, près du genou de la figure féminine]; Cambridge [Massachusetts], Fogg Art Museum) exécuté pendant la préparation de la peinture elle-même où cependant ces deux nus ne paraissent pas.

143 ⊞ ◍ 60×47 1846 ▤ ⁝

MADAME REISET. Cambridge (Massachusetts), Fogg Art Museum.

[W. 250]. "J. Ingres pinxit, Enghien 1846". Hortense Reiset (v. 1813-1893), avait épousé en 1835 son cousin Frédéric Reiset, ami d'Ingres, qui fut plus tard conservateur des dessins au Louvre. Ingres fit d'elle et de sa famille quelques très beaux portraits au crayon (Londres, Collection Ford; Cincinnati, Collection Warrington; Rotterdam, Museum Boymans-van-Beuningen; etc.). L'œuvre après être restée longtemps dans la famille du modèle est entrée au Fogg Art Museum en 1943.

144 ⊞ ◍ 480×660 1842-49 ▤ ⁝

L'AGE D'OR. Dampierre, Château, propriété du duc de Luynes.

a. [W. 251]. En septembre 1839, Ingres fut chargé par le duc de Luynes d'exécuter deux peintures murales dans la galerie au premier étage du château de Dampierre; Ingres choisit lui-même les sujets: l'*Age d'or* et l'*Age de fer* (N. 145). En 1841 [cf. Boyer d'Agen] Ingres n'était pas encore décidé sur l'emploi de la fresque (qualification erronée donnée souvent à l'œuvre [jusqu'à W.]) ou de la peinture à l'huile; il se décida ensuite à peindre à l'huile, directement sur le mur préparé à cet effet. Après de très nombreuses études, — on connaît

144 b

145

plus de cinq cents dessins soit existants (pour la plupart au musée Ingres, à Montauban), soit perdus (dans l'incendie de l'hôtel Gatteaux), — la composition était définie en 1843; en 1845 commença l'exécution qui devait se poursuivre jusqu'en 1848. Dans le même temps, Ingres et l'architecte Duban dirigeaient les travaux de décoration de la galerie confiés à une équipe de peintres et de sculpteurs. En 1849, Ingres s'engageait à terminer l'*Age d'or* avant deux ans [L.], mais la mort de sa femme le décida presque aussitôt à renoncer à ce projet. Par une convention passée le 7 mars 1850 entre le duc et Ingres, l'œuvre est définitivement abandonnée.

Selon ses projets, communiqués à Gilibert [(20.VII.1843) *in* Boyer d'Agen], l'œuvre représente l'âge mythique "comme les anciens poètes l'ont imaginé"; dans un paysage arcadien, plus de cinquante personnages se répartissent en trois groupes: à gauche, Astrée "enseigne à aimer la justice"; à droite, près d'une fontaine, "les groupes d'amants heureux et de familles heureuses avec leurs enfants"; au centre, devant l'autel "une danse religieuse exécutée par des jeunes filles qui font tourner un jeune garçon maladroit, qui joue des flûtes et est ramené à la mesure par la jeune fille qui conduit la danse en battant des mains". Trois des jeunes danseuses doivent incarner les saisons "heureuses", l'hiver étant donc exclu; mais Schlenoff pense plutôt à la ronde des Heures et aux trois Grâces, avec Hébé et Vénus, — comme dans la réplique de 1862 (voir ci-après), — selon un thème qui peut avoir été emprunté au *Parnasse* de Mantegna (Louvre) ou à un sujet analogue traité par J. Zucchi, aux Uffizi [King, "JWG" 1942]. L'exécution du paysage serait due en grande part au "spécialiste" A. Desgoffe.

b. [W. 301]. Une réplique tardive, avec variantes (voir ci-dessus) restée chez Ingres jusqu'à sa mort et entrée en 1943 au Fogg Art Museum de Cambridge (Massachusetts), témoigne d'élaborations ultérieures du sujet (toile, 48×62; "J. Ingres Pint MDCCCLXII Aetatis LXXXII").

145 ⊞ ◍ 480×660 1845-49 ▤ ⁝

L'AGE DE FER. Dampierre, Château, propriété du duc de Luynes.

Devait servir de pendant au N. 144. L'exécution en fut ébauchée en 1845 mais elle fut interrompue très vite: elle se limite à un fond d'architecture exécuté par Pichon sur les indications d'Ingres, — très proche de celui de l'*Apothéose d'Homère* (N. 121a), bien que plus ample; (voir le N. 166a pour la méthode pratiquée par Ingres en pareil cas). Quelques croquis préliminaires autographes subsistent au musée Ingres à Montauban. Non cité dans Wildenstein.

146 ⊞ ◍ 163×92 1807?-48 ▤ ⁝

VENUS ANADYOMÈNE. Chantilly, Musée Condé.

a. [W. 257]. "J. Ingres Faciebat 1808 et 1848". Cette annotation indique la durée de l'élabora-

146 a [Pl. LII]

113

146 b

tion dont le début serait peut-être même à fixer un an plus tôt [W. etc.]. L'œuvre aurait dû constituer un des envois de Rome réglementaires mais, en fait, Ingres la laissa à l'état d'ébauche pendant quarante ans malgré une réclamation de Pastoret en 1821 à Florence, et une demande de livrer l'œuvre à Leblanc en 1823; elle fut enfin terminée en 1848 à Paris, pour B. Delessert, et non pour Frédéric Reiset, — comme on l'indique parfois, — à qui cependant Delessert la céda dans l'année même. Parvint ensuite avec la collection Reiset chez le duc d'Aumale (1879).

Les sources iconographiques en sont connues: tout d'abord la *Vénus de Médicis*, avec des éléments des *Vénus pudiques*, en tout cas dans la *première pensée* (documentée par un dessin [190×94 mm.] du musée de Montauban, n. 867-2302) où l'on pourrait aussi trouver une influence de la *Naissance de Vénus* de Botticelli (Florence, Uffizi) [Alazard] que le peintre avait pu voir à son passage à Florence (1805) ou étudier d'après des estampes. Dans la version définitive, déjà "repensée" vers 1806 comme on peut le déduire d'un autre dessin (383×285 mm.) de Montauban (n. 867-2305), la déesse a les bras levés et tord ses cheveux. La structure chromatique changea aussi peu à peu; Amaury-Duval décrit le tableau tel qu'il le vit en 1825: "Le ciel était d'un ton bleuâtre plutôt que bleu; toute la figure avait cet aspect si attrayant de l'ébauche, les Amours à peine indiqués, mais charmants..."; et il ajoute avec regret: "Depuis, qu'est-il arri-

147 [Pl. XLVIII]

148 [Pl. L]

150 [Pl. LI]

151

vé? Aujourd'hui le ciel est d'un bleu foncé, presque noir, sur lequel Vénus se détache en lumière vive et, quand je l'ai vue pour la première fois, le passage du ton du ciel à celui de la figure était à peine sensible. M. Ingres avait-il perdu cette naïveté qu'il me vantait, lorsqu'il acheva ce tableau commencé dans sa jeunesse?».

Wildenstein en reproduit une version à l'aquarelle (apparemment signée) presque identique, mais sans donner aucun renseignement: d'après le numéro de la planche (78), le critique semble la considérer come antérieure à la toile de Chantilly.

b. [W. 259]. Une version réduite (31,5×20), ayant appartenu à Napoléon III et maintenant au Louvre (legs Marcotte-Genlis, 1867), semble, malgré la signature, "J. Ingres", et l'avis contraire de Wildenstein et d'autres critiques, devoir être considérée comme une œuvre d'atelier, des environs de 1858; mais elle aurait été exécutée sous la direction d'Ingres qui n'a pas réussi malgré tout à éviter, par exemple, l'insignifiance du visage de Vénus.

Pour une autre réplique, se reporter au N. 171b; et pour la variante de *la Source* au N. 155a.

147 141,8×101,5 1844-48

LA BARONNE JAMES DE ROTHSCHILD. Paris, Collection Guy de Rothschild.

[W. 260]. "J. Ingres Pinxit 1848"; et (en haut, à droite, au-dessus des armes de la famille): "Bne BETTY DE ROTHSCHILD". Toile marouflée sur bois. A la fin de 1841, la baronne James de Rothschild, née Betty de Rothschild (1805-86) avait demandé à Ingres de faire son portrait; après un premier refus, l'artiste consentit et les séances de pose commencèrent. En février 1843, la tête était presque achevée, mais en juin 1844 Ingres, insatisfait, recommençait son travail qu'il devait terminer en 1848 [L.]. Th. Gautier vit le portrait chez Ingres et frappé de la spontanéité de facture, le compara aux portraits du Titien. Voié par les nazis, fut rendu à son propriétaire en 1945.

148 146,7×100,3 1851

MADAME MOITESSIER. Washington, National Gallery (Kress).

[W. 266]. "J. A. D. Ingres Pxit ANo 1851". Le modèle, née Inès de Foucauld, était la fille d'un collègue de Marcotte, le vieil ami d'Ingres, qui la recommanda lui-même au peintre quand elle désira faire exécuter ce portrait. La genèse de ce tableau se mêle à celle de l'autre portrait de Mme Moitessier (voir N. 156a). Il dut être exécuté entre juin et décembre 1851; d'après une lettre d'Ingres à son modèle / *in* L. /, on voit que certains accessoires furent modifiés au dernier moment: "J'abandonne [...] le bijou sur la poitrine. d'un style trop vieux, que je vous prie de remplacer par un camée en or ...", et de même pour les bracelets, etc. Il n'y eut pas de changement dans la composition solide renforcée encore par les noirs des cheveux et de la robe, — dentelles, tulle, velours également noirs, — en accord profond avec le brocart pourpre du fond et en vif contraste avec les roses ornant la coiffure et les gants sur le fauteuil plutôt qu'avec les chairs un peu éteintes. Le portrait semble être passé directement de la famille Moitessier à S. H. Kress qui en fit don au musée de Washington.

149 32,3×43,3 1851

JUPITER ET ANTIOPE. Paris, Louvre.

[W. 265]. "J. Ingres, 1851". Le nu féminin est une des nombreuses variantes de celui de la *Dormeuse de Naples* de 1808 (N. 57a), en particulier dans la version N. 57c. L'œuvre fut présentée à l'Exposition universelle de 1855 et accueillie avec enthousiasme / About; Gautier; etc. /: au point que devant le modeste tissu pictural que révèle aujourd'hui la toile, on a pensé / W. / qu'elle avait pu être maladroitement restaurée dans la seconde partie du XIXᵉ siècle. Malgré sa médiocrité, son authenticité paraît bien établie. Elle a appartenu jusqu'en 1898 à la famille Moitessier, puis à Cosson qui l'a léguée (1927) au Louvre.

150 73×62 1845-52

MADAME GONSE. Montauban, Musée Ingres.

[W. 269]. "Mme Car. Gonse 1852. J. Ingres Pinxit". Le modèle, Caroline Maille (1815-1901) faisait la peinture et prit les conseils d'Ingres à Rome (v. 1835). En 1836 elle épousa J.-H. Gonse, conseiller à la cour d'appel de Rouen. Ingres dessina d'elie un portrait, debout, "mars 22.1845" (New York, Collection Lasker); quelques semaines plus tôt (15.II) avaient commencé les séances de pose pour le portrait peint; mais elles furent vite interrompues parce qu'Ingres souffrait alors des yeux; elles reprirent en 1851 et, après quelques hésitations, l'œuvre était terminée en janvier 1852. Légué par Lapauze au musée en 1928. La mise en page est ferme, bien posée. Le visage d'une grâce réservée est bien en harmonie avec la palette jouant sur les gris, les blancs et les noirs précieusement fondus et que font chanter le lilas des rubans et le rouge violacé du fauteuil [Ternois, "ICPF, 11"]. C'est, avec les N. 147 et 170, le seul portrait de femme de l'époque tardive d'Ingres — soit parmi les plus beaux tableaux — qui reste en France aujourd'hui.

151 106×88 1853

LA PRINCESSE DE BROGLIE. New York, Metropolitan Museum (Collection Lehman).

[W. 272]. "J. Ingres Piᵗ 1853". Le modèle, née de Galard (1825-60), femme du prince, puis duc de Broglie, membre de l'Académie française, était la belle-sœur de la comtesse d'Haussonville (voir N. 139a). Après être resté longtemps dans la famille de Broglie, le portrait fut acquis par un collectionneur pa-

risien et est récemment passé dans la collection Lehman; entré, avec toute la collection, au Metropolitan Museum en 1969.

152 1853

L'APOTHÉOSE DE NAPOLÉON Iᵉʳ.

a. [W. 270]. Commandé le 2 mars 1853 pour le plafond du salon dit de l'Empereur à l'Hôtel de Ville de Paris; exécuté dans l'atelier prêté par Gatteaux rue de Lille, et achevé à la fin de cette même année; en février 1854, Napoléon III et l'Impératrice, accompagnés d'une nombreuse suite l'inaugurè-

153 a

rent avant sa mise en place. Détruit le 24 mai 1871, comme *la Paix* de Delacroix, par l'incendie allumé par la Commune. La composition est connue par la gravure de L.-A. Salmon; elle représentait Napoléon Iᵉʳ s'élevant aux cieux, au-dessus de sainte Hélène. Il est sur un char d'or guidé par l'aigle impériale et précédé de la Victoire; tandis que la Renommée le couronne, Némésis écrase le Crime et l'Anarchie (dans le registre inférieur); à gauche, la France en deuil contemple l'ascension. La Renommée, le char et les chevaux dérivent d'une gravure d'après Flaxman pour l'*Illiade*, représentant les Heures guidant le char de Junon; mais on peut penser aussi à l'influence des vases grecs de la collection Hamilton, publiés par Tischbein [Deonna; Mongan]; de plus la personnification de la France rappelle un relief antique avec des Ménades, de la Villa Torlonia Albani à Rome. Comme d'habitude, ces suggestions exté-

rieures se sont concrétisées par nombre d'études dessinées d'après nature (on compte encore soixante-dix dessins au musée Ingres, Montauban, d'autres au musée Bonnat de Bayonne, au Fogg Art Museum de Cambridge [Massachusetts] et dans des collections particulières). On sait que R. Balze, l'élève d'Ingres, posa pour l'Empereur; la "belle Hortense", pour la figure de la France; Ingres lui-même pour la Némésis, selon le témoignage de Balze qui, pour cette raison, a dessiné la tête et le bras gauche de cette allégorie.

Outre l'*Apothéose*, le plafond

(Ci-dessus à droite, de haut en bas) *La composition d'Ingres pour le Plutarque français (voir le N. 153 a). - L'étude présumée dont il pourrait s'agir au N. 153 c.*

de l'Hôtel de Ville comportait huit personnifications des villes les plus importantes conquises par Napoléon: Rome, Vienne, Milan, Naples, Moscou, Le Caire, Berlin, Madrid, peintes par Desgoffe, les deux Balze, et par Flandrin, Cornu, Magimel, Pichon et Cambon d'après des dessins (ou des cartons) d'Ingres. Au succès mondain, s'ajoutèrent les éloges enthousiastes de la critique bien que certains lui aient reproché d'avoir appliqué un camée géant sur une voûte [cf. Chabouillet, "MSML" 1875], et c'est d'ailleurs la façon d'un camée que A. David a gravé la composition. Ainsi Ingres, une fois encore, avait eu le "sens du mur": il avait donné un relief aux valeurs linéaires et s'était servi de couleurs claires, comme dans le *Romulus vainqueur d'Acron* et le *Tu Marcellus eris...* (N. 68 et 70), afin que ses figures ne "crèvent" pas le plafond.

b. [W. 271]. Une ébauche de l'ensemble (toile, 48×48), ayant appartenu probablement à Gatteaux, acquise ensuite (1889) par la Ville de Paris, est depuis 1903 au musée Carnavalet.

c. Une œuvre analogue, toile, 50×50; legs Gatteaux, Louvre, en dépôt au musée de Châteauroux) a parfois été prise pour une étude préliminaire: elle dérive en fait de la gravure de Salmon (voir N. 152a), et serait peut-être de Bastien-Lepage (1874), selon un témoignage du frère de ce dernier [Brière-Communaux, 1924]. Non cité dans Wildenstein.

153 🔲 ⊗ 240×178 / 1851-54

JEANNE D'ARC AU SACRE DU ROI CHARLES VII, DANS LA CATHÉDRALE DE REIMS. Paris, Louvre.

a. [W. 273]. "J. Ingres Pit, 1854" (en bas, à gauche); dans un cartouche, en bas vers la gauche: "... et son bonheur se change en trône dans les cieux. Em. Deschamps". Représente l'héroïne debout près de l'autel: les yeux au ciel, elle tient l'étendard victorieux. Au second plan, derrière le religieux absorbé dans sa lecture, Doloy, l'écuyer de Jeanne à qui le peintre a

152 b

154

Etude sans doute complète (mine de plomb, 250×168 mm.; Montauban, Musée Ingres) pour la composition étudiée au N. 154.

157

donné ses propres traits (à rapprocher d'un portrait d'Ingres par H. Flandrin, à Montauban ["ICPF, 11", n. 120]). L'œuvre commandée en 1852 par Guisard, directeur des Beaux-Arts, à l'occasion des fêtes commémoratives de Jeanne d'Arc qui eurent lieu en 1854, à Orléans. C'est là que la toile fut présentée au public qui, en majeure partie, l'accueillit favorablement [Vinet, "RDM" 1854; etc.]. Figura ensuite à l'Exposition universelle de 1855, et à la rétrospective de 1867. Collection de Napoléon III, puis au musée de Versailles, au musée du Luxembourg, à la Présidence du Corps législatif (1866); de nouveau au Luxembourg jusqu'en 1874, date de son entrée au Louvre.

Dix ans avant, Ingres avait déjà travaillé sur ce sujet pour une illustration commandée par E. Mennechet pour la réédition (1844) du Plutarque français. Par rapport à ce dessin, la peinture comporte l'adjonction des personnages du fond et de la robe recouvrant les jambes de la sainte. L'exécution du tableau fut quand même précédée de plusieurs études au crayon (musée Ingres de Montauban, et dans d'autres collections); d'après une annotation de R. Balze sur un de ces dessins (302×392 mm.; New York, Collection Curtis Baer), il semblerait qu'Ingres avait en projet une autre peinture, différente de celle aujourd'hui au Louvre.

b. Une étude pour la tête de l'héroïne ("en extase", comme dit Ingres dans son cahier X) fut exposée aussi à la rétrospective de 1867 avec une autre peinture analogue. Ayant disparu toutes deux, il est impossible de préciser aujourd'hui à laquelle se référait la citation du maître. L'une d'elles (W. 275; toile, 44×37; "Ingres"), passée à la vente après décès d'Ingres (27/4/1867), fut probablement achevée postérieurement à la composition définitive [L.]. Fit partie de la collection Ramel, puis de la collection Amaudru [W.].

c. De l'autre étude (voir N. 153b), on sait seulement qu'avant de disparaître elle resta longtemps dans la famille Gruyer. Elle ne semble pas pouvoir être identifié, aussi bien pour des raisons iconographiques, avec l'œuvre publiée par Wildenstein (W. 274) dont l'authenticité paraît très douteuse.

154 🔲 ⊗ 1855

LE PRINCE JÉRÔME NAPOLÉON.

[W. 277]. "J. Ingres pinxt 1855". Le modèle (1805-70), collectionneur averti et grand amateur d'Ingres, était le fils de Jérôme Bonaparte, le plus jeune frère de Napoléon Ier. Ingres fit ce portrait en reconnaissance des bontés manifestées par le prince après l'Exposition universelle de 1855 [Momméja]. L'œuvre devait comporter une bordure néo-classique inspiré peut-être par la monture d'un médaillon de Vespasien (comme l'indique l'esquisse du musée Ingres reproduite ici sous le tableau), étudiée dans un dessin autographe (155×100 mm.; ibid.) [Ternois, "ICPF, 3"]. Cette décoration ne paraît pas en tout cas la copie du portrait gravée par V.-

155 a [Pl. LIII-LIV]

F. Pollet. Le portrait dut être détruit en 1871 dans l'incendie du Palais-Royal à Paris.

155 🔲 ⊗ 163×80 / 1820*-56

LA SOURCE. Paris, Louvre.

a. [W. 279]. "J. Ingres, 1856". C'est en substance une variante de la Vénus Anadyomène (N. 146a), et sa genèse ne fut pas moins longue. Ingres commença à y penser à Florence, vers 1820 [Amaury-Duval]; en 1825 l'œuvre devait déjà être ébauchée si, comme il semble, on peut l'identifier avec une étude d'après nature, — "une figure de jeune fille peinte sur une toile jaunâtre, qui était restée comme fond" [Id.], — qui resta longtemps accrochée dans l'atelier du maître [Id.]. L'exécution définitive ne commença qu'à partir de 1855 avec la collaboration du paysagiste A. Desgoffe et de P. Balze (ce dernier peignit la cruche et "rectifia" [R. Balze] les reflets dans l'eau); cependant la tête, les bras et les extrémités inférieures sont sûrement de la main d'Ingres. Le thème peut avoir été tiré d'un bas-relief de la cour de l'Hôtel Sully, à Paris [Goncourt] ou par un relief de Jean Goujon à la Fontaine des Innocents [Ternois, "C" 1967]. Malgré sa froideur néo-classique (qui la différencie essentiellement de l'Anadyomène), rachetée d'ailleurs par l'unité du coloris, c'est une des œuvres les plus populaires d'Ingres. A l'exposition privée organisée par Ingres dans son atelier (1856), elle suscita une admiration unanime et des louanges pour la "beauté suprême de la couleur", et la "chaste" beauté physique du modèle [Gautier]; plusieurs poètes lui dédièrent des vers (elle inspira à Th. de Banville le poème La naiade argentine, publié en 1861), et le comte Tanneguy Duchâtel l'emporta sur les autres acquéreurs "en offrant à bout portant 25.000 francs ..." (lettre d'Ingres à Calamatta, 18-20/1/1857 [in L.]). Léguée au Louvre par la comtesse Duchâtel en 1878, année où le jeune Seurat en dessina une copie.

b. [W. 286]. Une petite réplique médiocre (panneau, 24×12,5), travail d'atelier probablement mais exécuté sous la surveillance d'Ingres (qui d'ailleurs l'a signée et datée: "J. Ingres, 1859") a été léguée au Louvre par la famille Marcotte-Genlis (1867).

156 🔲 ⊗ 120×92 / 1852-56

MADAME MOITESSIER. Londres, National Gallery.

155 b

a. [W. 280]. "J. Ingres 1856. AET LXXVI", et (en haut, à droite): "Me INÈS MOITESSIER NÉE DE FOUCAULD". En ce qui concerne l'identité du modèle, voir la notice du N. 148. Les poses pour ce portrait débutèrent en 1844 ou 1845, et la mise en page dut en être assez vite fixée, toutefois avec quelques variantes (comme le montre l'ébauche de Montauban [voir ci-dessous]). Un peu plus tard Ingres envisagea de représenter dans le même portrait Catherine, la fille de Madame Moitessier, mais l'enfant se révéla "insupportable" et il fallut "l'effacer" [L.]. En 1849 interruption du travail à la suite du décès de Mme Ingres; les poses recommencèrent deux ans après, mais alors naquit un portrait complètement différent, c'est-à-dire celui qui est actuellement à Washington (N. 148). Toutefois en juin 1852, la pose "assise" fut reprise; et après d'autres incertitudes, — relatives par exemple à une robe (Ingres préféra un moment une robe jaune, puis il la remplaça par la robe blanche à bouquets de roses), — d'autres abandons

156 a [Pl. LV-LVI]

V.-L. Mottez (élève d'Ingres), copie (Paris, Ecole des Beaux-Arts) d'une peinture d'Herculanum, maintenant au Museo Nazionale de Naples, qui a pu inspirer Ingres pour le N. 156 a.

(1853), l'œuvre fut enfin terminée en 1856. Le portrait resta longtemps dans la famille Moitessier; acquis en 1936 par la National Gallery. La beauté physique du modèle et l'attitude qui met en valeur son type "junonien" constituent le mérite majeur de l'œuvre pour Th. Gautier; Lapauze y voit aussi une réalisation heureuse de "l'idéal grec" alors en vogue. A son propos, Blanc parle d'une "Flore pompéienne", et en effet Davies [Catalogue, 1946 et 1957²] signale comme source iconographique une peinture du musée de Naples provenant d'Herculanum, Héraklès et Télèphe, bien connue dans l'entourage d'Ingres puisque trois de ses élèves l'avaient copiée. Blanc regrette toutefois que la minutie de la facture des détails distrait l'attention du visage; en vérité cette virtuosité scrupuleuse concourt à l'équilibre de l'œuvre comme dans une tapisserie étonnante car la couleur relie savamment ces multiples accessoires; et ils n'enlèvent rien à la monumentalité du portrait, qui peut même avoir séduit Picasso, comme le suggèrent deux de ses portraits de femmes exécutés l'un en 1919 [Cassou, 1947] et l'autre en 1932 [Davies].

b. Une première pensée pour le portrait (voir plus haut) est conservée dans la petite toile (46×38) avec l'inscription à la plume, en haut: "Mme Moitessier") léguée peut-être par Ingres au musée de Montauban (1867). L'autographie se limite sans doute au dessin et à quelques retouches dans les parties à l'huile [Ternois, "ICPF, 11"] qui ne concernent qu'un morceau du fond et furent peintes par un élève. Non cité dans Wildenstein.

156 b

157 🔲 ⊗ 186×116 / 1856

SAINTE GERMAINE COUSIN DE PIBRAC. Sapiac (Montauban), Eglise Saint-Etienne.

[W. 278]. "J. A. D. Ingres a peint ce tableau et l'a offert à la Vénérable Eglise de S. Etienne de Sapiac à Montauban sous la cure de M.r A.te Boislong. An. 1856". Le comte du Faur de Pibrac, dans une lettre (1857) au chevalier Dumège [W.], et de Montrond [1868], rappelle, avec une grande abondance de détails, comment l'œuvre fut exécutée par Ingres et donnée à l'église en accomplissement d'un vœu fait pendant la maladie d'un neveu. Les élèves d'Ingres, A. Cambon et M. Dumas, participèrent à l'exécution du tableau, dont la fadeur reflète l'ingénuité de l'imagerie pieuse.

158

159 a

159 b

158 🔳 ⊘ 25,7×53,2 / 1856 📑 ⁝

LA NAISSANCE DE LA DERNIÈRE MUSE. Paris, Louvre.

"Ingres 1856". Aquarelle sur papier maroufié sur cuivre. Intitulé traditionnellement *"La naissance des muses"*. L'œuvre avait été conçue pour être placée dans un encadrement en forme de petit temple grec (exposé au Salon de 1859) que le prince Napoléon avait fait exécuter sur un dessin de l'architecte Hittorff. Ingres écrivait en août 1856: "Le sujet représente la Naissance des Muses, en face de Jupiter. Erato sort la dernière du giron

de Mnémosyne, et cela est rendu honnêtement" [*in* Delaborde]. Une gravure de Gérard (1796) pour l'*Enéide* (VIII) peut avoir inspiré la figure du père des dieux, sans oublier évidemment celle peinte en 1811 (N. 67a); il en reste en tout cas un dessin préparatoire à l'École des Beaux-Arts, Paris. Collection du Prince Napoléon; collection H. Lapauze, et acquisition par le Louvre à la vente après décès de ce dernier (1929).

159 🔳 ⊘ 50,5×69 / 1857 📑 ⁝

MOLIÈRE À LA TABLE DE

LOUIS XIV. Paris, Musée de la Comédie-Française.

a. [W. 281]. "J. Ingres, 1857". Le sujet est tiré d'une anecdote rapportée par Mme Campan: le Roi-Soleil ayant invité Molière à Versailles, le fait asseoir à sa propre table afin d'imposer aux courtisans le respect du comédien. Achevé à Meung-sur-Loire vers le mois de juin 1857; offert le 1er janvier 1858 à la Comédie-Française en remerciement de l'entrée à vie accordée à Ingres par les Comédiens Français. Gautier et Blanc ont vanté les couleurs vives et brillantes qui constituent en effet le principal mérite de l'œuvre.

b. [W. 293]. Une réplique avec de légères variantes (toile, 52× 69; "J. Ingres, 1860"), ayant appartenu à l'Impératrice Eugénie a été acquise par Wildenstein à la vente des collections de cette dernière (Londres, 1927).

160 🔳 ⊘ avant 1858? 📑 ⁝

LA VIERGE DE L'ADOPTION.

a. [W. 284]. La description de Delaborde laisse penser [W.] qu'il s'agit de la première version du thème; d'où la chronologie proposée ici. Quant à l' historique, on sait seulement que le tableau appartint à la veuve d'Ingres et qu'elle a ensuite disparu.

b. [W. 283]. Une réplique ("J. Ingres PꞮᵗ 1858. Aetatis LXXVIII") ayant appartenu à la famille Gosselin, Paris, fut exposée à la rétrospective de 1867; disparu depuis. C'est une des nombreuses variations sur le thème du N. 120.

161 🔳 ⊘ 64×53 / 1858 📑 ⁝

PORTRAIT DE L'ARTISTE À L'ÂGE DE SOIXANTE-DIX-HUIT ANS. Florence, Uffizi.

a. [W. 285]. "J. A. D. INGRES Pictor Gallicus SE IPSUM Pxt anno Ætatis LXXVIII MDCCCLVIII" (en haut, à droite). Peint pour la galerie des Autoportraits aux Uffizi, où il fut accueilli chaleureusement (lettre d'Ingres à Marcotte, 30/V/1858 [*in* Delaborde]). A droite, au revers, la croix de Grand Officier de la Légion d'honneur. L'œuvre servit de prototype aux deux suivantes.

Copiée plusieurs fois par des élèves d'Ingres (Montauban, musée Ingres; etc.). (C)

b. [W. 292]. Une réplique (toile, 64,7×52), — intitulée "Portrait de l'artiste à l'âge de soixante-dix-neuf ans", — identique en substance à l'œuvre précédente; seules les décorations sont modifiées. Exécutée pour la seconde femme du peintre et probablement comme pendant du

164

N. 162a. Parvenue (1945) au Fogg Art Museum de Cambridge (Massachusetts) après quelques collections particulières.

Copie anonyme (toile, 67×53) au musée Ingres, à Montauban, qui conserve également d'autres copies dues à des élèves d' Ingres (A. Cambon, E.-F. Haro).

c. [W. 316]. Autre réplique, dite parfois "Portrait de l'artiste à l'âge de quatre-vingt-cinq ans", avec les mêmes décorations que dans la précédente (toile, 64×53), exécutée, peut-être en 1864, pour se conformer au règlement de l'Académie d'Anvers (l'inscription dit en effet: "J. Ingres peint par lui pour la célèbre Académie d'Anvers"), à qui le peintre la donna en 1865.

160 b

162 🔳 ⊘ 62,8×49,8 / 1859 📑 ⁝

MADAME INGRES, NÉE RAMEL, SECONDE FEMME DE L'ARTISTE. Winterthur, Collection O. Reinhart.

a. [W. 290]. "I. INGRES P.ˣⁱᵗ AETATIS LXXIX. 1859" (à gauche, en haut); et: "M.ᴱ D.ᴺᴱ INGRES, NÉE RAMEL" (à droite, en haut). Conçu peut-être comme pendant du N. 161b. Après avoir appartenu à une descendante de Mme Ramel, fut acquis par la Galerie Wildenstein, puis entra dans la collection Reinhart. La composition offre l'animation vitale, magistralement ordonnée que l'on trouve dans les meilleurs portraits d'Ingres.

b. [W. 291]. Une étude pour les mains (toile maroufiée sur bois, 18×13), très probablement en relation avec l'œuvre précédente, comme le suggère l'inscription [W.]: "Ingres à Delphine". A appartenu à la collection Bazille, Montpellier; son passage dans deux ventes (1922 et 1925) est documenté; on perd ensuite sa trace.

163 🔳 ⊘ 69×50 / 1859 📑 ⁝

LA VIERGE COURONNÉE. Paris [?], Collection particulière.

163

[W. 288]. "J. Ingres, 1859". Une des nombreuses variations sur le thème de la Vierge (en relation avec le N. 160a en particulier), exécutée à Meung-sur-Loire après plusieurs dessins préparatoires [Momméja]. Exposée à la rétrospective de 1867; a appartenu au baron de Lareinthie et ensuite à Bessonneau; passé en vente en 1949.

164 🔳 ⊘ 35,5×26,5 / 1860*? 📑 ⁝

PROJET POUR LE TOMBEAU DE LADY MONTAGUE. Montauban, Musée Ingres.

Jane Montague (1795-1815), fille du cinquième duc de Manchester, se présente étendue sur un lit de repos, dans un encadrement typique des tombeaux de la Renaissance (dans un cartouche: "Lady Jane Montague obiit anno aetatis XX Roma"). Les premières esquisses pour le projet (six à Montauban; un dessin à la sépia aquarellé à la National Gallery of Victoria à Melbourne [Oppé, "OMD" 1956], d'autres peut-être perdus) remontent à 1815; le thème devait être repris beaucoup plus tard. La présente aquarelle, la version la plus élaborée du motif, est signalée par plusieurs auteurs [Magimel; Blanc; Delaborde] avec la date 1858 que Lapauze propose de lire 1818, en désaccord avec Ternois ["ICPF", 3"]; en réalité elle porte l'ins-

cription: "J. Ingres Inⁱᵗ et Delⁱᵗ et fecit Roma - 1860 [*sic*]", mais l'indication semble d'autre part adultérée [*Id.*]; le dessin est en tout cas à dater de la dernière période de l'artiste [*Id.*]. Après être passée à la vente après décès de 1867, l'aquarelle appartint à divers propriétaires et fut en 1954 acquise par le Louvre qui l'a mise en dépôt au musée Ingres.

165 🔳 ⊘ 69×59 / *1827*-62 📑 ⁝

HOMÈRE ET SON GUIDE. Bruxelles, Musées Royaux.

a. [W. 298]. En dehors de la si-

161 a

161 b [Pl. LVII]

161 c

162 a

gnature, "Ingres", l'œuvre porte deux dates: "1861" et "1862", la dernière révélée par les rayons infra-rouges. Cependant dans son *cahier X*, l'auteur lui-même, confirmé par Delaborde et Momméja, date l'œuvre de 1859. Elle fut probablement commencée à l'époque de l'*Apothéose* (N. 121a), comme étude pour la figure du poète [Delaborde], et ce n'est que bien après qu'Ingres ajouta la figure du guide.

b. [W. 299]. Une étude à l'huile pour la tête du poète (papier collé sur toile, 39×29; Paris, Collection particulière), inspiré [W.] par celle d'un Piémontais rencontré dans la rue, fut vendue par Ingres à Haro (1866), et changea plusieurs fois de propriétaire.

c. [W. 300]. Autre étude, peinte partiellement à l'huile (papier marouflé sur toile, 21,4×14,5), pour le bras droit d'Homère. Legs Ingres (1867) à Montauban.

166 265×320 1842-62

JÉSUS AU MILIEU DES DOCTEURS. Montauban, Musée Ingres.

a. [W. 302]. "J. INGRES PINXIT MDCCCLXII ÆTATIS LXXXII". Commandé en 1842 par Louis-Philippe pour la chapelle du château de Bizy. Bien que la disposition générale ait été mise en place très vite, l'œuvre était loin d'être terminée lors de la révolution de 1848 et fut abandonnée; Ingres la reprit plus tard, en 1851 probablement (comme la gravure de Réveil semble le démontrer); elle parut en effet cette année-là, identique à la composition terminée, n'étaient trois livres en plus au premier plan, par terre); la toile fut en tout cas achevée en 1862 à Meung-sur-Loire et léguée par Ingres à Montauban. Le sujet est tiré de l'Evangile selon saint Luc (II, 44-50), — l'ensemble de la composition, — parfaitement centrée, avec le point de fuite au-dessus de la tête de Jésus, — dérive des premières fresques de Raphaël au Vatican et à sans doute un rapport avec l'*Apothéose d'Homère* (N. 121a); la décoration architecturale, avec les colonnes torses caractéristiques, est aussi empruntée à Raphaël, plus exactement au carton pour *la Guérison du boiteux* (Londres, Victoria and Albert Museum). Le second docteur à droite serait un portrait de Th. Gautier; saint Joseph, contre la colonne du même côté, aurait les traits du paysagiste Desgoffe: d'ailleurs, selon l'habitude d'Ingres, presque toutes les figures dérivent d'études nombreuses d'après nature (cent dessins sont conservés à Montauban) et d'esquisses diverses (voir ci-après). Cambon a noté les différentes phases de l'exécution: "Ingres a fait d'abord peindre le fond; il a dessiné par-dessus en grisaille les personnages nus, puis il a peint les parties qui devaient rester visibles et enfin les draperies ...".

b. [W. 305]. Une étude pour cinq figures du groupe des docteurs du côté gauche et du groupe des spectateurs derrière la colonne à droite (toile marouflée sur bois, 28×36; "Ingres"; Paris, Collection particulière) a été publiée pour la première fois par Wildenstein.

c. [W. 309]. Une autre, analo-

166 a

   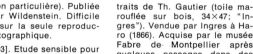

166 c   166 e   166 f   166 h   166 i

gue, pour des figures de docteurs à droite et pour d'autres inutilisées. Une petite partie seulement est peinte à l'huile, le reste de la surface n'est que dessiné (papier, 32×38). Legs Ingres à Montauban.

d. [W. 306]. Une troisième représente au moins une des figures déjà étudiées dans l'étude précédente, mais dans une phase plus avancée du travail (six morceaux de toile marouflés sur une toile, 29×36). Acquise par le Herron Museum d'Indianapolis depuis peu. Provient d'une collection parisienne.

e. [W. 307]. Etude vraisemblablement pour la tête d'un vieillard barbu, sans doute celui derrière la colonne à gauche (toile, 15×10; "Ingres"; Paris,

Collection particulière). Publiée aussi par Wildenstein. Difficile à juger sur la seule reproduction photographique.

f. [W. 303]. Etude sensible pour la figure de Jésus et celles des deux docteurs qui l'entourent (plusieurs fragments de toile, peints en partie seulement et appliqués sur une toile unique, 59×45). Legs Ingres au Musée de Montauban (1867). Selon Lapauze, remonterait à la fin de 1866.

g. [W. 304]. Une étude pour les figures du jeune homme assis près de la colonne à gauche, de saint Joseph, de la Vierge, du vieillard debout derrière elle, et d'un autre personnage que l'on peut identifier peut-être avec le docteur ayant les

traits de Th. Gautier (toile marouflée sur bois, 34×47; "Ingres"). Vendue par Ingres à Haro (1866). Acquise par le musée Fabre de Montpellier après quelques passages dans des collections particulières.

h. [W. 308]. Une autre étude pour une tête d'homme barbu, *première pensée* peut-être pour le docteur étudié dans les N. 166c et 166g, (toile, 12×8; "Ingres"; Paris, Collection particulière). Publiée pour la première fois par Wildenstein.

i. [W. 310]. Ebauche pour un buste de vieillard (toile, 12×17), appartint à la veuve d'Ingres, puis a été acquise par le Louvre (Dessins) (1908) après quelques propriétaires privés. La relation avec la peinture N. 166a n'est que probable; en tout cas la figure n'a pas été utilisée dans la composition définitive.

167 1862

JULES CÉSAR.

[W. 311]. Grisaille peinte à Meung-sur-Loire comme modèle pour une gravure destinée à illustrer l'*Histoire de César* écrite par Napoléon III. L'œuvre, — qui n'est connue que par deux estampes identiques de Salmon, mais de dimensions différentes, — aurait appartenu à l'empereur lui-même [Blanc].

168 diam. 108 *1859-63

LE BAIN TURC. Paris, Louvre.

a. [W. 312]. "J. Ingres Pinxt. MDCCCLXII Aetatis LXXXII" (en bas, à gauche). Toile marouflée sur bois. Cette composition est

l'aboutissement d'une longue quête entreprise presque soixante ans plus tôt. Avant tout, on y retrouve, dans la musicienne vue de dos, la *Baigneuse de Valpinçon* (N. 50); mais le bras qui tient le manche de la mandoline laisse découvrir la stylisation audacieuse du sein, employée pour la première fois dans la *Baigneuse à mi-corps* (N. 44) qui remonte à 1807; la pose des jambes, comme le fait remarquer Ternois ["C" 1967] relie la figure à celle de l'esclave dans l'*Odalisque* Fogg (N. 129 a) mais ici, elle est vue de dos. La jeune fille étendue à droite, est peut-être une réminiscence de la *Dormeuse de Naples* perdue (N. 57 a). Nous savons enfin que la dernière étape, la *Petite Baigneuse* (N. 121 a),

166 b

166 d

166 g

117

165 a

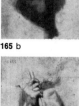

165 b

165 c

167

avait eu un développement (dans le dessin perdu dont témoigne la gravure de Réveil de 1851) qui la rattache décidément au *Bain turc*. Des œuvres nombreu-

168 a [Pl. LVIII-LXIII]

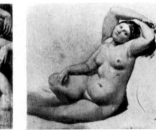

168 b 168 c

(Sous le tondo) Photographie de Marville restituant l'état primitif du N. 168 a. - Ci-dessus: Reproduction de planches des recueils de Nicolaÿ [1576], des Cent estampes ... du Levant [1714-15] et de Smith [1769] Eastern Costumes, modèles des figures du N. 168 a.

169

ses et mémorables jalonnent donc l'évolution de ce thème que des lettres de Lady Montague (ibid.) concoururent à préciser, vraisemblablement dans le sens qu'indique Schlenoff: l'étonnement d'Ingres en découvrant que l'on retrouvait les traditions des thermes grecs dans le monde de l'Islam, centre d'intérêt du romantisme "exotique". Parlant des femmes vues dans le "plus beau bain de Constantinople", lady Montague note (passage transcrit par Ingres dans le cahier IX): "elles m'ont rappelé complètement l'épithalame d'Hélène, par Théocrite; et il m'a semblé que les mêmes usages s'étaient conservés depuis ce temps". Les références aux lettres de l'ambassadrice anglaise ne manquent d'ailleurs pas dans le tableau du Louvre: "... belles femmes nues, dans différentes postures; les unes jasant, les autres travaillant; celles-ci prenant du café ou du sorbet, quelques unes négligemment couchées sur leurs coussins". Ingres a aussi recouru comme l'indiquent Ford ["BM" 1954] et surtout Naef ["O" 1957] à des sources iconographiques précises, comme pour la Petite Baigneuse (voir N. 121 a), auxquelles on peut ajouter les gravures illustrant les Navigations [...] en la Turquie de N. de Nicolaÿ (Anvers 1576), qu'Ingres possédait aussi. De même qu'en 1828 pour l'Intérieur de harem (N. 122a), ces solutions formelles servirent à Ingres pour fixer les attitudes des modèles vivants, sujet de nombreuses recherches dont témoignent une cinquantaine de dessins à Montauban, une grande feuille d'études (620×490 mm.) au Louvre; d'autres dans la collection Villiers-David à Londres; etc.

L'historique du tableau est assez complexe et sur quelques points, peu clair [Ternois]. Ingres écrit dans le cahier X (concernant les années 1850-56): "Femmes turques au bain, ébauche pour le comte Demidoff"; cette ébauche correspond peut-être à celle signalée (1940) dans une collection hollandaise et provenant de Russie. Mais, selon l'hypothèse très vraisemblable de Ternois, ce tableau (ou ébauche) dut constituer un premier état du Bain Turc. De toute façon le présent tableau fut terminé à la fin de 1859 et, en décembre de cette même année, le prince Napoléon l'acheta. Le tableau était alors de format rectangulaire comme on peut le voir dans une ancienne photographie de Marville datée du 7 octobre 1859; de son côté, Mommméja lit "1852" et pense donc que cette photographie reproduit l'ébauche Demidoff; la date de 1852 pourrait toutefois

marquer l'époque de la première phase d'exécution en grisaille, selon le procédé habituel d'Ingres (voir le N. 166 a). Mommméja signale encore une autre photographie (appartenant alors à Cambon) où l'exécution de l'œuvre semble plus avancée; mais le critique ne se prononce pas quant à la date. Il reste certain que dès avril 1860, le prince Napoléon, à la demande de sa femme, la princesse Clotilde, choquée par cette abondance de nus [Chennevières, 1886; L.], rendit la toile à Ingres qui, en échange, lui donna l'Autoportrait de 1804 (N. 18a). L'artiste transforma alors le tableau en tondo et pour cela le diminua d'une bande verticale à droite (voir ci-dessous le N. 168 b) et l'agrandit à gauche, d'une autre bande (largeur maxima 30 cm.). La transformation était importante car, de cette façon, une grande partie de la femme nue au premier plan, à droite, disparut, et la pose de sa voisine changea. Puis furent introduits la table servie au premier plan, la baigneuse assise sur le bord du bassin, et toutes les figures du fond au-dessus d'elle. Puis la tenture fut supprimée, ainsi que la porte qui lui faisait face et, dans le fond, furent ajoutées la niche avec le vase et la porte à arc. Malgré la date apposée, toutes les modifications ne durent être terminées qu'en 1863, comme le laisse penser [Ternois] une lettre d'Ingres à Marcotte du 11 juillet 1863 [in L.]. En 1864 l'œuvre était encore dans l'atelier d'Ingres [Blanc]; elle fut achetée peu après (20.000 francs) par Khalil Bey, ambassadeur de Turquie à Paris. A sa vente (1868), Constant Say l'obtint pour le même prix; elle passa ensuite dans la collection du prince de Broglie, beau-frère de Say et finalement fut acquise en 1911 (150.000 francs) par les Amis du Louvre qui en firent don au musée.

Pour un exposé plus systématique du "dossier" du Bain turc, on consultera le catalogue, rédigé par H. Toussaint et S. Delbourgo, de l'exposition (1971) du Louvre consacrée à ce tableau.

b. [W. 314]. Wildenstein a publié un fragment de la bande verticale (57×6; Paris, Collection particulière) supprimée dans la composition initiale; fragment qui confirme la composition reproduite sur la photographie Marville (voir plus haut). Wildenstein indique que cette bande est peinte sur bois et la reproduction laisse voir en effet des craquelures caractéristiques: ce qui pose un nouveau problème car le médaillon du Louvre est peint sur toile.

c. [W. 313]. Magnifique étude à l'huile (papier, 25×26) pour la femme appuyée sur des coussins à l'extrême droite; léguée par Ingres au musée de Montauban (1867). La femme a trois bras résultant de l'indécision d'Ingres dans le choix entre deux gravures tirées du recueil Cent estampes [...] du Levant (voir N. 121 a): l'une représente une "Femme juive" avec le bras droit abaissé; l'autre, une "Femme turque" qui a le bras droit levé [Ternois, "C", 1967]. La première solution prévalut mais avec un mouvement du torse qui correspondait mieux à la seconde [Id.]: toutefois cette

Reproduction publiée par Lenormant et de Witte, de l'Enlèvement d'Europe d'après un vase grec (British Museum; cf. N. 169). A noter l'interprétation erronée du dauphin entre les pattes antérieures du taureau.

170

171 A

171 B

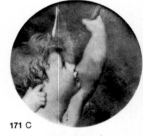

171 C

171 D

171 E

171 F

118

incongruité doit être volontaire car elle fait partie du processus d'amplification que subit la figure, comme le prouve aussi le volume du visage, beaucoup plus plein que dans l'ébauche. Il est clair en tout cas que cette étude concerne la version définitive du *Bain* puisque, dans son format rectangulaire primitif, le bras gauche de la même femme reposait sur un coussin au lieu d'être levé.

169 ▦ ✇ 30,1×42,5 *1863 ▤ ⦂

L'ENLÈVEMENT D'EUROPE. Cambridge (Massachusetts), Fogg Art Museum.

"J. Ingres E.¹ᵗ sur un trait de Vase Grec. 1863" (en bas, à gauche): annotation qui précise en partie la genèse de l'œuvre, tirée de la reproduction [*in* Lenormant - de Witte, *Elite* ..., Paris, 1844, I, pl. XXVII] d'un vase grec entré au British Museum en 1846. L'emploi de la reproduction explique certaines étrangetés comme la forme mal définie qu'on entrevoit dans les pattes antérieures du taureau, qui, sur le vase original, correspond à un dauphin abîmé, et fut mal interprétée par Lenormant [Mongan]. En bas, à droite, une autre inscription: "NEPTUNE couronné d'une feuille de pin / il ordonne à la mer d'être Calme"; une troisième, au centre, révèle un aspect de la curiosité érudite de l'artiste: "ENLEVEMENT D'EUROPE / Pline parle d'un tableau d'Antyphile qui représente Europe / Peut-être cette composition est-elle une imitation de cet ouvrage célèbre / ou une autre de Pythagoras Peintre et Sculpteur". En haut, à gauche, le groupe de Galatée et des Néréides, autre composition d'après l'antique, — reprise peut-être d'un camée [*Id.*], — ajoutée ultérieurement. Le coloris, au moins dans la figure d'Europe, a aussi une source classique précise dans la description d'Ovide [*Id.*].

Cette ajonction tardive fait penser que cette œuvre, dont on ne connaît pas d'autre version, dut avoir une longue gestation, comme l'écrit Mongan observant que non seulement l'inscription relative à la date semble avoir été refaite mais que des repentirs sont décelables dans le Neptune. Il est clair que l'importance de cette aquarelle réside moins dans l'invention que dans le témoignage qu'elle porte sur les préférences d'Ingres, et surtout de sa faculté de transposition qui paraît même dans son respect patent, — et vraiment total, — du modèle d'autrui. Car il est bien évident qu'ici chaque élément révèle une substance exquisement ingriste qui imprègne, — par des modifications très légères mais symptomatiques, — l'ensemble même de la composition. L'œuvre avait été vendue (1866) à Haro; après diverses collections, elle fut acquise par Winthrop (1930) qui la légua au musée en 1943.

170 ▦ ✇ 33,5×33,5 *1864 ▤ ⦂

JEANNE-ELISABETH GAUDRY. Grenoble, Musée.

Le modèle (1832-1889) était la fille de Jacques-Ignace Hittorff (1792-1867), architecte de la gare du Nord, et l'épouse d'Albert Gaudry, qui fut un paléontologue connu. Don de Mlle Elisa-

beth Cartier, Paris (1963). Un dessin préparatoire est conservé également au Louvre. La *Minerve* de Cologne en est peut-être une dérivation (voir le N. 171 F). Publié par S. Béguin ("RL" 1967). Non cité dans Wildenstein. (C)

Les médaillons Hittorff

Par une lettre du 4 septembre 1864, Charles, fils de l'architecte Hittorff, remercie Ingres de l'envoi de six médaillons représentant des têtes de "Dieux et de Déesses" que le peintre venait de terminer. Ils étaient destinés à la décoration du salon de l'hôtel Hittorff, rue Coquenard (disparue ajourd'hui) à Paris. Hittorff a décrit les six peintures. Quatre de ces médaillons ont été légués en 1898 au Wallraf-Richartz-Museum de Cologne (ville nàtale de Hittorff) qui en a revendu trois en 1938 [Hammer, "MK" 1964]. Les signes conventionnels placés en tête du premier médaillon sont valables pour toute la série sauf ceux relatifs à la date et au lieu de conservation qui sont indiqués dans chaque notice.

171 ▦ ✇ diam. 32 1864 ▤ ⦂

A. JUPITER. ... (E.U.), Collection particulière.

[W. 74]. Vendu par Hittorff au baron J. Vitta. Acquis (1935) par un collectionneur inconnu à la vente de ce dernier. Son affinité indubitable avec le N. 67b, — mais sous l'aspect typologique seulement — semble inciter Wildenstein à le reporter aux environs de 1811.

B. VÉNUS ANADYOMÈNE. ... (?), Collection particulière.

[W. 258]. Même historique que le précédent. Elle se relie iconographiquement au N. 155b et surtout au N. 146b dont elle serait, suivant Wildenstein, une étude préparatoire.

C. L'AMOUR. Lima (?), Collection particulière.

[W. 261]. Signé des initiales: "I. G.". L'influence de Raphaël est évidente. Comme les trois médaillons suivants, l'*Amour* avait été légué au musée de Cologne.

D. JUNON. Urbana, Illinois University.

[W. 262]. Même historique que le précédent avant son acquisition par le propriétaire actuel. Intitulé "*Mlle Hittorff*" à l'exposition de 1845, probablement à la suite d'une confusion avec le N. 171 F. Blanc y reconnaît les traits d'Elisabeth Lepère (1804-1870), femme de l'architecte Hittorff.

E. MARS. Bâle, Kunstmuseum.

[W. 263]. Signé des initiales: "I. G.". Même historique que les deux précédents avant d'être acquis par le musée. 32,5×31,5.

F. MINERVE. Cologne, Wallraf-Richartz-Museum.

[W. 264]. Seul médaillon conservé au musée. Ch. Blanc avait déjà reconnu dans les traits de la déesse ceux de de la fille de Hittorff; cette opinion a été confirmée par la récente apparition du N. 170 maintenant au Louvre, dont le présent tableau semble bien en effet s'inspirer. 33,5×33 cm.

172 ▦ ✇ *1855-65 ▤ ⦂

MADAME MATHILDE HACHE.

[W. 321]. Le modèle, née Ramel, était la sœur de la seconde femme d'Ingres. L'œuvre fut exposée à la rétrospective de 1867. Elle appartenait encore à la famille Hache quand elle disparut en 1870 pendant l'invasion allemande.

173 ▦ ✇ 24×19 ▤ ⦂

ETUDE DE MAIN. Paris, Collection particulière.

Sur fond gris-bleu. Signé, en bas à droite: Ingres. Rentoilé à la suite d'un accident survenu à un doigt. A été offert en 1878 par le prince de Joinville au grand-père du propriétaire actuel.

Complément au catalogue

174 ▦ ✇ 40,4×24,2 1834 ▤ ⦂

ACADÉMIE D'HOMME. ÉTUDE POUR LA FIGURE DU LICTEUR DANS LE MARTYRE DE SAINT SYMPHORIEN. Rouen, Musée des Beaux-Arts.

Entré au Musée des Beaux-Arts de Rouen avec la collection Baderou en 1975 (inv. 975.4.2217). Publié par D. Ternois ["Etudes de la Revue du Louvre et des Musées de France, I" 1980] comme étude préparatoire pour la figure du licteur au centre du *Martyre de saint Symphorien* (n. 128).

dans la même attitude un dessin (localisation actuelle inconnue), dont il exécuta ensuite pour lui-même une copie (France, collection particulière) d'après un calque. Peu de temps après il offrit celle-ci à son maître Ingres qui, frappé de la beauté du modèle ("Mais c'est Vénus, c'est Vénus"), en reprit les traits dans sa *Vénus à Paphos*, peinte vraisemblablement la même année avec la collaboration d'A. Desgoffe pour le fond. Jamais exposé du vivant d'Ingres par égard d'ailleurs l'existence de ce détournement de son effigie, le tableau fut offert à P. Flandrin

174

175 ▦ ✇ 33×25,4 *1844 ▤ ⦂

MADAME CAVÉ. Localisation actuelle inconnue.

Répétition (ou copie d'élève), de format ovale, du portrait de *Madame Cavé* (n. 138), passée en vente publique chez Christie à Londres le 9 juillet 1976 (catalogue n. 184). Signalé par J. Foucart ["BMI, 41" 1978]. Non localisé depuis.

176 ▦ ✇ 91×71 *1852* ▤ ⦂

VÉNUS À PAPHOS. ... (France), collection particulière.

Vers 1852, tandis, que H. Flandrin peignait le portrait de Mme Balay, épouse du député et agronome Francisque Balay (1820-1872) (France, collection particulière), son frère P. Flandrin tirait du modèle, saisi

176

par Mme Ingres, après la mort de l'artiste. En 1902, la veuve de P. Flandrin, née Aline Desgoffe, fille du collaborateur et amateur éclairé, Adrien Mithouard (1854-1919), président du Conseil Municipal de Paris. En 1905, le tableau fut révélé au public dans le cadre de la Rétrospective Ingres qu'accueillit cette année-là le Salon d'Automne. Il figura également à l'exposition Ingres organisée en 1921 par H. Lapauze à l'Hôtel de la Chambre Syndicale de la Curiosité et des Beaux-Arts à Paris – il n'apparaît pas au catalogue mais retint l'attention du critique F. Fosca ["L'Art et les Artistes" 1921]. – Disparu depuis (il ne figure ni dans l'ouvrage d'H. Lapauze [1911] (!) ni dans le catalogue de Wildenstein [1954, "W"]), il a été redécouvert et publié récemment par H. Naef ["PA" 1979].

Un dessin préparatoire pour ce tableau, provenant de la collection d'Anatole France (vente des 10 et 21 avril 1932 à Paris, Hôtel Drouot) est conservé au Musée de Baltimore. (crayon, 325×200; signé).

177 ▦ ✇ 35,3×26,6 *1855* ▤ ⦂

TÊTE DE FEMME. Cambridge (Massachusetts), Fogg Art Museum.

Cette figure d'esprit tout classique peut être rapprochée du personnage situé à l'extrémité gauche de la *Naissance*

177

de la dernière muse (Paris, Louvre; n. 158), aquarelle exécutée par Ingres en 1856 pour le Prince Napoléon et conçue pour être placée dans un encadrement en forme de petit temple grec dessiné par l'architecte Hittorf. Il convient toutefois de remarquer qu'elle se distingue très nettement, par l'échelle et la technique, des nombreuses études connues pour cette aquarelle. On en situe cependant l'exécution à une date voisine [M.-B. Cohn-S.-C. Siegfried 1980].

Complément aux n. 1 à 173

1. Non reproduit dans la première édition.

4. Le tableau a d'abord appartenu à Joseph Ingres père: il figure en effet dans l'inventaire après décès (1814) de celui-ci, publié par J.-Cl. Waquet ["BMI" 1978]. Une répétition dessinée, avec quelques variantes de détail, provenant de la collection de l'amateur américain Norton Simon est passée en vente chez Sotheby à Londres le 27 juin 1974 (plume et lavis brun, 242×373; catalogue n. 53) et a été acquise par une galerie londonienne pour la somme considérable de 20 000 livres Sterling.

1

57 a

22. De précieux renseignements sur Philibert Rivière, sa famille et son entourage ont été publiés par H. Naef ["BSHAF" 1971 et "Du" Noël 1972].

35. Auparavant dans la collection du baron Robert von Hirsch à Bâle. Entré au Kunstmuseum après la mort de celui-ci (1977).

39. Le tableau est entré au Musée Ingres en 1975, par suite du décès de Mme Ch. Pomaret, veuve en premières noces de H. Lapauze, dont elle en avait hérité l'usufruit.

45. La personnalité du modèle, Mme Duvauçay de Nittis et non Devauçay comme on le croyait jusqu'alors, a été mise en lumière par H. Naef ["Schweizer Monatshefte" décembre 1968].

47. Non reproduit dans la première édition.

57a. A plusieurs reprises Ingres tenta de retrouver la *Dormeuse de Naples* disparue lors de la chute de Murat, afin de la présenter au Salon de Paris. En 1831 notamment, comme l'atteste une lettre autographe mais écrite à la troisième personne comme un avis, conservée au Département des Manuscrits de la Bibliothèque Nationale à Paris. Cette page est accompagnée d'un dessin à la plume reproduisant la composition originale et exécuté vraisemblablement de mémoire par l'artiste [Naef, "RA" 1968]. Ce

document que nous reproduisons ici, prouve qu'aucune des petites *Dormeuses* que l'on a tenté jusqu'ici de rapprocher du tableau perdu (N. 57b à 57e), ne lui correspond réellement. Le personnage appuie sa tête sur son bras gauche alors que, dans les autres compositions, ce dernier est simplement replié à la hauteur du visage et repose sur un coussin.

47

74. Le tableau a été donné au musée du Louvre, sous réserve d'usufruit par M. et Mme Kahn-Sriber en 1977 ["RL" 1977, n. 4]. L'idée de Camesasca selon laquelle il pourrait s'agir d'une étude pour le portrait de la Fornarina dans le n. 73a (v. 1813) est mise en doute par J. Foucart ["BMI, 41" 1978].

76. Les sources iconographiques et l'histoire du tableau ont été étudiées par R.-A. Gross ["Rutgers Art Revue" 1981, n. 2].

83a. En réalité le tableau fut bien livré à son commanditaire, puisque, comme l'atteste une lettre écrite de Rome le 19 décembre 1814 par David d'Angers à son ami le peintre Dupré, ce dernier avait pu l'admirer à Naples, où il résidait alors. L'œuvre s'y trouvait encore en septembre 1815: le 28 de ce mois, en effet, Ingres écrivait de Rome au chevalier Gabriel de Fontenay, diplomate français en mission à Naples, pour lui demander de veiller au sort d'un tableau qui devait lui être restitué, lequel peut être identifié, si l'on rapproche ces deux courriers, avec la *Grande Odalisque*, et non avec la *Dormeuse de Naples* comme on l'a cru un moment [Naef "RA" 1981, n. 1-2 et n. 3].

83f. Déposé par le Louvre au Musée de Grenoble en 1976, dans le cadre des "échanges Campana". Voir aussi le n. 170 (C).

89. Selon F. Boismard ["BMI" 1980], le tableau aurait été peint à Paris en 1826.

93. Comme l'a montré H. Naef ["BMI" 1974], ce célèbre portrait a été peint en 1814, la lettre d'Ingres à son ami Marcotte, invoquée à titre de preuve, étant datée du 7 juillet 1814 et non 1816 contrairement à l'assertion de Lapauze [1911].

97c. Actuellement dans la collection Eiichi Nishagaki au Japon. Le tableau est passé par

57 a

deux fois en vente chez Sotheby à Londres: le 30 avril 1969 (n. 20) et le 7 avril 1976 (n. 21), puis dans les galeries Krugier, Brook Street Gallery et Tamenaga.

105f. Sorti de France en 1971. Provient de l'ancienne collection Aubry, à Paris.

108a. La publication par P. Angrand et H. Naef ["BMI" 1970] de la correspondance d'Ingres avec la famille de Pastoret fournit de précieux renseignements sur la genèse et l'élaboration de ce tableau, en particulier sur les sources iconographiques et historiques auxquelles l'artiste eut recours.

111. Ce portrait et son pendant (n. 110) ont été acquis par Degas à la vente de Mme Isaure Place, fille des modèles, à l'Hôtel Drouot le 23 janvier 1896, moyennant 7 500 francs (n. 110) et 3 500 francs (n. 111) (N. 47 et 48 du procès-verbal de cette vente sans catalogue).

128g. Entré au Nationalmuseum de Stockholm en 1977 (don de M. et Mme A. Lundgreen). Ternois [1980, n. 230] le donne comme "perdu".

131f. Non reproduit dans la première édition.

161a. I. Julia [*Pittura francese nelle collezioni pubbliche fiorentine* (catalogue), Florence 1978] a pu établir que dès 1839 les Offices avaient tenté d'obtenir d'Ingres un autoportrait. L'artiste, alors directeur

de l'Académie de France à Rome (1835-1841), ayant refusé en invoquant le manque de temps, la demande lui fut réitérée en 1855.

170. Déposé au Musée de Grenoble par le Louvre en 1976 dans le cadre des "échanges Campana". Voir aussi le n. 83f (C).

131 f

Table de concordance

Chacune des notices de ce Catalogue comporte, quand il y a lieu, la référence au catalogue publié par G. Wildenstein en 1954 (cf. la Bibliographie, page 82). Il a néanmoins paru utile de donner ici la concordance des numéros de ce dernier (W) avec ceux du présent Catalogue (CdA).

CdA	W	CdA	W	CdA	W	CdA	W	CdA	W
1	—	63	76	100g	233	121ii	190	136H	—
2	1	64	77	101	130	121jj	—	137	246
3	5	65	78	102	143	121kk	200	138	247
4	2	66	79	103	144	122a	205	139a	248
5	3	67a	72	104a	142	122b	165	139b	238
6	4	67b	73	104b	—	123	206	140a	122
7	6	67c	75	105a	132	124	208	140b	282
8	10	68	82	105b	133	125	209	140c	—
9	11	69	84	105c	—	126	225	141	—
10	9	70a	83	105d	134	127	211	142	—
11a	7	70b	128	105e	135	128a	212	143	250
11b	8	70c	320	105f	136	128b	202	144a	251
12	44	71	80	105g	139	128c	319	144b	301
13	12	72	81	105h	—	128d	213	145	—
14	13	73a	86	105i	137	128e	215	146a	257
15	16	73b	88	105j	140	128f	214	146b	259
16	14	73c	89	105k	138	128g	216	147	260
17	{ 19 / 40 / 41 }	73d	231	106	147	128h	220	148	266
		73e	297	107	148	128i	217	149	265
18a	17	74	65	108a	146	128j	218	150	269
18b	18	75	—	108b	145	128k	221	151	272
19	15	76	87	109	149	128l	219	152a	270
20	20	77	85	110	152	128m	222	152b	271
21	21	78	90	111	153	128n	223	152c	—
22	22	79	99	112	154	128*	210	153a	273
23	23	80a	100	113	163	129a	228	153b	275
24	24	80b	121	114	150	129b	237	153c	274
25	34	80c	123	115	151	130a	229	154	277
26	38	80d	249	116a	155	130b	230	155a	279
27	37	81a	{ 91 / 92 }	116b	{ 156 / 156 bis }	131a	232	155b	286
28a	35	81b	256	116c	158	131b	264	156a	280
28b	36	81c	131	116d	159	131c	224	156b	—
29	43	81d	254	116e	160	131d	295	157	278
30	42	81e	255	116f	157	131e	322	158	—
31	29	82a	101	116g	161	131f	—	159a	281
32	30	82b	129	116h	—	132a	234	159b	293
33	31	82c	141	117	162	132b	268	160a	284
34	32	82d	207	118	166	132c	276	160b	283
35	28	83a	93	119	167	132d	289	161a	285
36	33	83b	95	120	203	132e	296	161b	292
37	27	83c	94	121a	168	132f	325	161c	316
38	25	83d	226	121b	169	133a	236	162a	290
39	26	83e	97	121c	180	133b	235	162b	291
40	39	83f	98	121d	196	134a	239	163	288
41	46	83g	96	121e	170	134b	240	164	—
42	47	84a	103	121f	198	134c	241	165a	298
43	50	84b	252	121g	172	134d	242	165b	299
44	45	85a	104	121h	324	134e	243	165c	300
45a	48	85b	253	121i	294	134f	—	166a	302
45b	49	86	105	121j	173	134g	245	166b	305
46	51	87	106	121k	174	134h	244	166c	309
47	68	88	107	121l	192	135A	—	166d	306
48	67	89	201	121m	191	135B	—	166e	307
49	64	90	66	121n	323	135C	—	166f	303
50	53	91	108	121o	188	135D	—	166g	304
51a	60	92	110	121p	189	135E	—	166h	308
51b	61	93	109	121q	187	135F	—	166i	310
51c	315	94a	113	121r	199	135G	—	167	311
52	52	94b	114	121s	184	135H	—	168a	312
53a	63	94c	115	121t	186	135I	—	168b	314
53b	62	94d	204	121u	185	135J	—	168c	313
54	111	95	116	121v	181	135K	—	169	—
55	59	96	117	121w	194	135L	—	170	—
56	112	97a	118	121x	193	135M	—	171A	74
57a	54	97b	119	121y	171	135N	—	171B	258
57b	57	97c	267	121z	177	135O	—	171C	261
57c	56	98	120	121aa	176	135P	—	171D	262
57d	55	99	102	121bb	178	135Q	—	171E	263
57e	317	100a	124	121cc	175	136A	—	171F	264
57f	318	100b	{ 126 / 125 }	121dd	183	136B	—	172	321
58	58	100c	127	121ee	182	136C	—	173	—
59	—	100d	127 bis	121ff	197	136D	—	174	—
60	69	100e	287	121gg	195	136E	—	175	—
61	70	100f	227	121hh	179	136F	—	176	—
62	71					136G	—	177	—

Appendice *Ingres dessinateur*

Il a paru utile de présenter ici un choix de dessins préparatoires, de paysages et de portraits. Il convient de rappeler qu'Ingres utilisa plusieurs techniques: la mine de plomb, dans des dessins d'une précision presque immatérielle et d'une très grande liberté; le crayon noir avec parfois des rehauts de blanc, pour les études de valeurs; et la plume (il semble s'être peu servi du lavis d'encre de Chine et de la sanguine); enfin, pour les portraits très "finis", les dernières études d'ensemble, les projets non réalisés à l'huile, certaines répétitions tardives, il employa l'aquarelle. Ingres utilisa quelquefois des papiers de couleur (bleu, rose, brun) et, souvent, le papier-calque, qui facilite les reports. Les dimensions sont données en millimètres.

(A côté, à gauche) Femme assise (mine de plomb et sépia, 190×160; "Ingres Rome 1807"; Paris, Collection particulière) encore influencée par David. Copie de l'Henri VIII de Holbein (id., 254×195; notations relatives à l'original; Bâle, Collection particulière). - (Ci-dessus) Etudes d'aigle pour le N. 67 a (v. 1810; id., 200×165; Montauban, musée Ingres). Etudes (1806) de la main de justice du sceptre etc. (id., 120×87; ibid.), et d'abeilles (id. 40×33; ibid.) pour le N. 37.

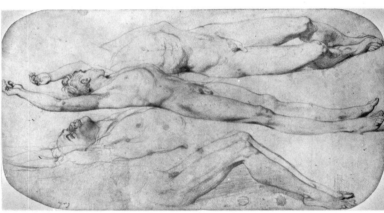

(Ci-dessus) Magnifique étude pour le cadavre d'Acron dans le N. 68 (mine de plomb, 197×364; "Ing."; New York, Metropolitan Museum); dans le tableau, le cadavre est représenté un bras replié sur la poitrine, comme dans un dessin du musée Bonnat à Bayonne; l'attitude reproduite ici a été au contraire adoptée par Ingres dans une ré-plique tardive (datée arbitrairement 1808) de la composition (mine de plomb et encre de Chine, 335×530; Paris, Louvre). (Ci-dessous) Etude pour le N. 83 a (v. 1814; id.; 254×265 [détail]; Paris, Louvre): une des plus exquises réussites d'Ingres.

(Ci-dessus, de gauche à droite) Etudes pour le Christ dans le N. 105 a (v. 1817; crayon, 515×390; "Ing."; Montauban, musée Ingres); et pour le Molière du N. 125 a (v. 1826; id., 305×250; "Ingres à Madame Sarrazin de Belmont"; New York, Metropolitan Museum). - (Ci-dessous, de gauche à droite) Deux Suisses pontificaux (v. 1815; mine de plomb et aquarelle, 143×68; Montauban, musée Ingres). Pièces d'armure (crayon, estompe et rehauts de blanc, sur papier foncé, 145×196; ibid.), se rapporte peut-être à Roger délivrant Angélique (N. 100).

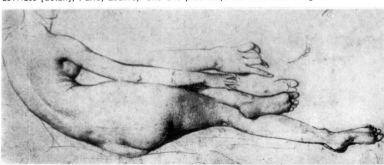

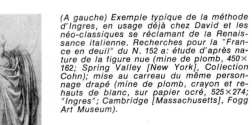

(A gauche) Exemple typique de la méthode d'Ingres, en usage déjà chez David et les néo-classiques se réclamant de la Renaissance italienne. Recherches pour la "France en deuil" du N. 152 a: étude d'après nature de la figure nue (mine de plomb, 450×162; Spring Valley [New York], Collection Cohn); mise au carreau du même personnage drapé (mine de plomb, crayon et rehauts de blanc, sur papier ocré, 525×274; "Ingres"; Cambridge [Massachusetts], Fogg Art Museum).

(A droite) Première pensée pour la figure entière (crayon et mine de plomb, 374×268; Montauban, musée Ingres), et pour la main droite du N. 124 (crayon, 176×206; Cambridge [Massachusetts], Fogg Art Museum).

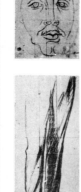

Etudes (v. 1841) pour le N. 134 a. (De gauche à droite) Première pensée avec le duc tourné vers la gauche et tenant son bicorne de la main droite (mine de plomb, 208×107; Montauban, musée Ingres); autre étude avec le duc tourné vers la droite (crayon, estompe et rehauts de blanc sur papier gris, 366×238; ibid.); esquisse du visage (mine de plomb, 195×131; ibid.); pantalons et pieds (crayon, 163×149; ibid.); la partie inférieure ne fut pas utilisée dans le tableau original.

Etudes pour le N. 128 a. (De gauche à droite) Recherches pour le personnage de la mère du martyr (mine de plomb, 367×251; indications manuscrites pour le clair-obscur; Montauban, musée Ingres): Ingres renonça à la version avec le bras re-tourné vers le ciel, peut-être plus dramatique, et y substitua celle inscrivant idéa-lement le personnage dans un triangle; recherches pour les figures du centurion et du soldat à cheval (crayon, 544×413; Kansas City, W. R. Nelson Gallery of Art).

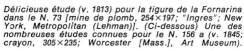

Délicieuse étude (v. 1813) pour la figure de la Fornarina dans le N. 73 [mine de plomb, 254×197; "Ingres"; New York, Metropolitan (Lehman)]. (Ci-dessous) Une des nombreuses études connues pour le N. 156 a (v. 1845; crayon, 305×235; Worcester [Mass.], Art Museum).

(En haut, de gauche à droite) Première pensée (mine de plomb, 68×60); Montauban, musée Ingres) et études (v. 1841-45) pour le N. 147 (id., 222×219; "Ing."; ibid.). Etude (v. 1843) pour le N. 139 a (id., 128×138; indications de valeurs; ibid.). - (Ci-dessus, de gauche à droite) Etudes (v. 1815) pour le tombeau d'un officier, non réalisé: copie du tombeau de Rido à Santa Francesca Romana à Rome (id. 293×253; ibid.); interprétation néo-classique (id., 834×589; ibid.); études anatomiques (id., 397×288; "Ingres"; ibid.); esquisse définitive (id., 315×206; ibid.).

Etudes pour la figure de Stratonice du N. 131 a. (De gauche à droite) Esquisse du nu (mine de plomb, 282×132; "Ing"; Tours, musée des Beaux-Arts); étude (id., 397×222; Rotterdam, Museum Boymans-van Beuningen); un des quinze dessins analogues du musée Ingres, Montauban (id., 225×130; "Ingres"); étude du drapé (id., 490×310; "Ingres"; Bâle, Collection particulière). La pose de Stratonice s'inspire peut-être d'une Pénélope pompéienne, mais elle rappelle aussi la pseudo Polymnie, autrefois Giustiniani, copiée à Paris par Ingres entre 1797 et 1806 (à Montauban); elle se relie aussi à des études pour d'autres œuvres postérieures à 1807.

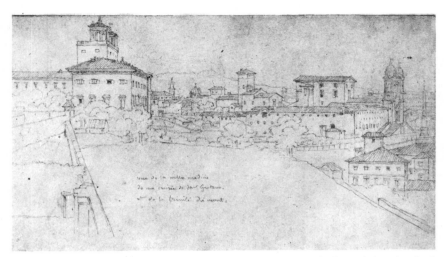

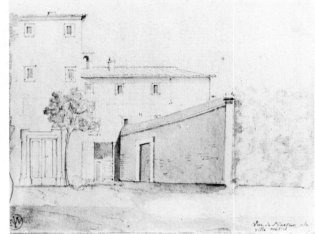

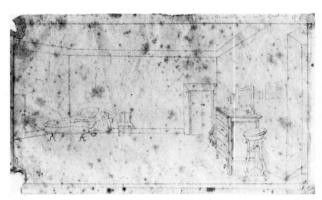

(Ci-dessus) Vue de la Villa Médicis et de la Trinité des Monts à Rome *(mine de plomb, 120×200; "vue de la villa Médicis de ma croisée de Saint Gaetano. et de la trinité du mont," et: "à Rome 1807"; Cambridge [Massachusetts], Fogg Art Museum).*

(A droite, de haut en bas) Le pavillon S. Gaetano à la Villa Médicis *(mine de plomb, lavis de sépia, 109×142; "Vue de S. Gaetan a la Villa medici"; Montauban, Musée Ingres).* Ingres, pensionnaire de l'Académie de France à Rome de 1806 à 1810, disposait d'un atelier et d'un logement dans ce pavillon, des fenêtres duquel il dessina de nombreuses vues de Rome et de la Villa Médicis. Un passage de la lettre que l'artiste écrivit le 20 février 1807 à Julie Forestier, sa fiancée, se rapporte peut-être à cette feuille: *"Vous désirez voir mon petit ermitage, eh bien! je vous en enverrai un petit croquis...".* La chambre d'Ingres dans le pavillon S. Gaetano à la Villa Médicis *(mine de plomb, 113×189; "ma chambre a Saint Gaetan"; Montauban, Musée Ingres).* Ingres peignant dans la tribune de la Trinité des Monts *(mine de plomb, aquarelle, 463×564; Bayonne, Musée Bonnat).* L'artiste est représenté travaillant à son tableau *"Romulus vainqueur d'Acron" (n. 68).* L'emplacement exact de l'atelier dont Ingres disposait à cette époque dans l'église de la Trinité-des-Monts demeure inconnu. Vue prise de la Villa Médicis en direction de la coupole de S. Carlo al Corso *(plume et sépia, lavis de sépia, 95×122; Montauban, Musée Ingres).*

(Ci-dessous) L'escalier de S. Maria in Aracoeli à Rome *(mine de plomb, lavis de sépia, assemblage de trois feuillets, 178×347; Montauban, Musée Ingres).* Vue de Castelgandolfo et du lac d'Albano *(mine de plomb et aquarelle, 148×266; Montauban, Musée Ingres).* Les dessins de paysage d'Ingres sont souvent négligés; en réalité la sobriété linéaire de ces études ou, comme dans le cas présent, la recherche amoureuse du détail dans la tradition de Claude, révèlent une sensibilité digne du Corot de la période romaine.

La famille Forestier (mine de plomb, 233×319; "Ingres fecit 1806"; Paris, Louvre): la jeune fille, au centre, était la fiancée de l'artiste.

(Ci-dessus) Le peintre Hortense Viel-Lescot, plus tard Mme Haudebourt-Lescot (mine de plomb, 285×215; "Ingres à Rome 1814" deux fois; coll. part.). Elève de G.-G. Lethière, qu'elle suivit à Rome lorsque celui-ci fut nommé Directeur de l'Académie de France (1807), épousa en 1820 l'architecte L.-P. Haudebourt. Comme peintre, elle s'était fait une spécialité de petites scènes de genre italiennes, qui connurent un vif succès au Salon à partir de 1810; on comprend mieux par là le pittoresque costume de fête de paysanne des environs de Rome dans lequel elle apparaît ici.
(A côté, en haut) Les sœurs Montagu, filles de George, 6e comte de Sandwich, sur un paysage vu de l'Aventin (mine de plomb, 320×255; "Ingres Del. Rome 1815"; Londres, coll. Montagu). C'est un des premiers portraits "anglais" dessinés par Ingres: l'harmonie réalisée entre l'intense vivacité naturaliste et la pureté cristalline du style justifie le succès du jeune artiste près des membres de la colonie britannique de Rome, ses clients assidus. Lucien Bonaparte assis, dans le fond la Tour des Milices (id., 236×185; "Ingres"; vers 1807-08; New York, coll. Goelet).
(Ci-contre, à gauche) L'architecte J.-L. Provost (mine de plomb, 180×125; "Ingres Rome 1813"; New York, Collection Heinemann). Portrait dit de Madame René Borel, née Marie Chapelle (mine de plomb, 119×87; Detroit, Institute of Arts). Le modèle supposé serait donc la belle-sœur d'Ingres. Dessin daté habituellement vers 1824 mais qu'on doit plus vraisemblablement ramener vers 1818 [Naef].
(En bas, de gauche à droite) Un des dessins de la série consacrée à la famille Guillon-Lethière: Marie Vanzenne et son fils né de son remariage avec le peintre G. Guillon-Lethière, devant la Villa Médicis (mine de plomb, 241×187; "Ingres. Rome 1808"; New York, Metropolitan Museum). L'ingénieur Ch.-F. Mallet sur la rive gauche du Tibre, près du Ponte Rotto (id., 266×221; "Ingres fecit roma 1809"; Chicago, Art Institute). La famille A. Lethière (mine de plomb, 278×221; "Ingres à Monsieur Lethière. Rome 1815"; Boston, Museum of Fine Arts): un des dessins les plus accomplis d'Ingres. Portrait d'une dame (id., 292×206; "Ingres 1814"; New York, Metropolitan Museum); Ingres tournant d'habitude vers la droite les portraits de femme destinés à être mis en pendant avec un autre portrait, Naef en déduit que ce dessin doit être le pendant du portrait d'homme, de caractère analogue, conservé au Museum Boymans-van Beuningen de Rotterdam.

(A gauche) Mademoiselle Jeannette Hayard (id., 290×210; "Ingres", suivi de la dédicace au modèle, puis: "roma 1815"; New York, Collection de Haucke [?]): de très fine qualité par le rendu agile, sensible aussi dans la vigueur incisive du trait; par sa stylisation précieuse donnant au modèle la fixité intense d'une idole; enfin par l'équilibre prodigieux de la composition où l'inscription elle-même assume un poids précis, et pour ainsi dire 'nécessaire', dans la répartition des pleins et des vides.

(A droite) Jean-Joseph Fournier (mine de plomb, 241×162; en haut, à gauche: "Ingres Del."; en haut à droite: "rome 1815"; au centre: "À L'amitié"; Washington, Collection Thacher); le modèle, dont on sait peu de choses, s'était lié avec Ingres pendant le premier séjour à Rome ainsi qu'il ressort d'une note d'Ingres lui-même [Guiffrey]. Madame Mallet (id.; "J. Ingres D. roma 1809"; Paris, Collection Balanesco); le modèle n'avait aucun lien de parenté avec Charles-François Mallet dont le portrait est reproduit p. 122.

(Ci-dessus, de gauche à droite) Augustin Jordan et sa fille Adrienne (mine de plomb, 430×323; "Ingres Del. Rome 1817"; Cambridge [Massachusetts], Fogg Art Museum). Madame Jordan et son fils Gabriel (id., 443×326; "Ingres Del. Rome 1817"; ibid.); c'est le pendant du portrait précédent avec lequel il resta dans la famille des Jordan jusqu'en 1922, année où Wildenstein les mit dans le commerce d'art; Gr. L. Winthrop les acquit en 1923 et les légua au Fogg Art Museum. - Le comte A. Apponyi (id., 453× 346; "Ingres d. florence 1823"; ibid.), pendant du portrait, au même musée, de la femme du diplomate hongrois. - L'Amiral sir F. B. Reynolds Pellew (id., 305×215; "Ingres Del. à rome 1817"; St. Louis, Collection Steinberg): le héros des batailles navales contre Napoléon posa pour Ingres pendant son voyage de noces.

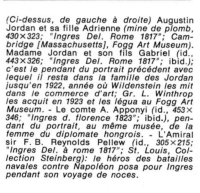

(Au centre, de gauche à droite) Mademoiselle Taurel (id., 174×130; "Ingres Del."; Paris, Louvre): un des rares dessins qu'Ingres consacra à l'enfance. Charles Lethière (mine de plomb, 255×195; "Ingres. Rom. 1818"; Paris, musée des Arts décoratifs): autre exemplaire de la série admirable rappelée p. 122. François Pouqueville (id., 320 ×240; "Ingres à mademoiselle hette Lorimier 1834"; New York, Collection D. Daniels).

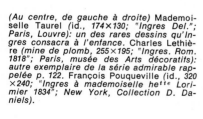

(En bas, de gauche à droite) Franz Liszt (mine de plomb, rehauts de blanc, 310× 230; "Ingres à Madame d'agoult Rome 29 mai 1839"; Bayreuth, Collection W. Wagner): la dédicace à la compagne du musicien prouve l'absence de préjugés chez Ingres qui du reste accueillit les amants à la Villa Médicis. Louis Reiset (id., 318×232; "J. Ingres Del. à Madame Reiset Enghien 1844"; Cincinnati, Collection Warrington), modèle de spontanéité et de vivacité graphique digne de Daumier. Cécile-Marie Panckoucke (mine de plomb, 325×246; "à Mr forgeot son très affectionné Ingres Del. 12 7bre 1856", accompagné d'autres notes; Detroit, Institute of Arts); comme dans plusieurs autres portraits de la maturité d'Ingres, le visage du modèle repose sur sa main: attitude typiquement romantique.

La famille de Lucien Bonaparte *(mine de plomb, 412×529; "J. Ingres.Del. Rome 1815"; Cambridge [Massachusetts], Fogg Art Museum). Le plus grand et le plus ambitieux des portraits dessinés par Ingres. Il réunit Alexandrine de Bleschamps, seconde femme de Lucien, entourée des enfants nés de son premier mariage et de celui avec Lucien Bonaparte. Exécuté pendant les Cent Jours, alors que le chef de famille, - dont le buste figure vers le centre, - oubliant ses désaccords avec son frère, l'Empereur, l'avait rejoint à Waterloo (à droite, le buste de Letizia Bonaparte par Canova).*

La famille Stamaty *(mine de plomb, 463×371; "JA. Ingres Del. roma 1818; Paris, Louvre). Le père, Constantin, était un curieux personnage grec arrivé à Paris en 1787; révolutionnaire fervent, il devint fonctionnaire français à Rome. Le dessin, - remarquable par l'homogénéité de sa composition, - fut exécuté en 1817 mais daté l'année suivante.*

Niccolò Paganini *(mine de plomb, 298×218; "Ingres Del. roma 1819"; Paris, Louvre). Dessin connu par une abondante bibliographie, bien que son historique demeure pratiquement inconnu; on sait seulement qu'à l'époque de son exécution, Ingres était second violon du quatuor réuni à Rome par le célèbre virtuose [Amaury-Duval].*

(A gauche) Madame Destouches *(mine de plomb, 430×285; "Ingres Delineavi[t] rome 1816"; Paris, Louvre). Le portrait achevé, la jeune femme - remariée depuis peu avec l'architecte L.-N.-M. Destouches, prix de Rome en 1815, - écrivait à son père, Th. de Charton, haut fonctionnaire du Trésor français: "Le portrait dessiné est fait par un célèbre artiste, M. Ingres, qui, par parenthèse, m'a tant flattée qu'il a fait de moi une presque jolie femme". Selon une tradition courante, dans la famille Destouches (chez qui le portrait resta jusqu'en 1891), c'est Ingres qui aurait eu le caprice de retourner le chapeau à plumes du modèle.*

Index

Index des titres et des sujets

Index topographique

A côté des titres des peintures, nous donnons ici des indications facilitant la recherche des répliques, copies, études ou fragments. Nous avons employé à cet effet les abréviations suivantes (placées entre parenthèses): c = copie; d = définitive; ét. = étude ou ébauche ou première pensée; fr. = fragment; p. = partiel-le; r. = réplique (autographe); t. = totale; v. = avec variante [s].

Afin de mettre en évidence immédiate les éléments caractéristiques de chaque œuvre, chaque notice comporte après le numéro d'ordre (correspondant à l'ordre chronologique le plus plausible et auquel on se reportera chaque fois que l'œuvre sera citée dans le volume), une série de signes conventionnels concernant: 1) l'exécution, c'est-à-dire son degré d'authenticité; 2) la technique; 3) le support; 4) la localisation; 5) les données suivantes: œuvre signée ou non; datée ou non; complète ou non, actuellement, dans toutes ses parties; achevée ou non. Ces renseignements correspondent à l'opinion qui prévaut aujourd'hui chez les historiens de l'art; toute divergence notable ainsi que toute précision ultérieure est rapportée dans le texte.

Degré d'authenticité

Œuvre entièrement et indiscutablement autographe.

Œuvre en très grande partie autographe, avec l'intervention d'assistants.

Œuvre en grande partie autographe, avec collaboration limitée.

Œuvre en partie autographe, avec une importante collaboration.

Œuvre d'atelier.

Œuvre d'authenticité discutée, mais admise par la majorité de la critique.

Œuvre d'authenticité discutée, contestée par la majorité de la critique.

Œuvre traditionnellement attribuée, mais dont l'état de conservation, même après restauration, est tel qu'il est impossible de porter un jugement sur son authenticité.

Œuvre récemment attribuée, mais sur laquelle la critique ne s'est pas encore prononcée.

Technique et support

La partie supérieure indique la technique employée; la partie inférieure, le support utilisé.

Huile

Tempera

Aquarelle

Panneau

Toile

Papier ou carton

Mur

Indications fournies dans le texte

Localisation

Œuvre conservée dans un musée, une collection publique, une église, etc., autrement dit dans un endroit accessible au public.

Œuvre se trouvant dans une collection privée, dans le commerce d'art, etc., autrement dit dans un endroit connu, mais non accessible au public.

Œuvre dont on ne connaît pas l'emplacement actuel.

Œuvre perdue; autrement dit œuvre documentée mais non identifiée. Œuvre détruite. Œuvre disparue. Indications fournies dans le texte.

Données accessoires

Œuvre comportant une signature ou un monogramme autographe.

Œuvre comportant une date autographe.

Œuvre qui ne nous est pas parvenue intégralement; autrement dit, œuvre incomplète ou fragment.

Œuvre inachevée.

Les autres inscriptions sont transcrites ou signalées dans les notices.
Lorsque les données d'une même œuvre se complètent, les indications sont groupées sous le même signe.
Les chiffres inscrits entre les deux groupes de signes qui précèdent chaque notice indiquent, en haut, les dimensions en centimètres de l'œuvre, hauteur par largeur; les dates sont indiquées en dessous. Ces dates sont suivies d'un astérisque lorsqu'elles sont approximatives, et d'un point d'interrogation lorsqu'elles sont conjecturales. Ces données chiffrées sont remplacées par un trait lorsqu'il est impossible, dans l'état présent des connaissances, de les déterminer.

Indications fournies dans le texte.

Table des matières

Références photographiques

Imprimé en Italie, Rizzoli Editore S.p.A.
Milan, Via Angelo Rizzoli 2.